Ayant eu la chance d'aller
voir les étoiles d'un peu plus
près, et la Terre d'un peu
plus haut, je ne peux
que t'encourager à lever
les yeux vers le ciel.
Tu vas trouver dans ce livre
plein de surprises, plein
d'émotions.

Michel Tognini, spationaute

À Antonin et Erwan, nos premiers copains du ciel...

REMERCIEMENTS

Les auteurs remercient toutes les personnes qui les ont aidés à réaliser ce livre,
et en particulier Nathalie Bucsek, Bruno Daversin qui ont relu attentivement les épreuves,
sous l'œil complice de l'équipe de Ciel et Espace.

Conception graphique - montage - infographies : Bruno Douin

Photogravure : Graphocoop 47, Agen

Imprimé par Egedsa – Sabadell, Espagne

Explorer le ciel
pour mieux connaître
la Terre

Claudine et Jean-Michel Masson

Copain du Ciel

Illustrations
Yves Beaujard, Sylviane Gangloff, Vincent Jagerschmidt,
Nathalie Locoste, Frédéric Pillot
Infographies
Lydia Chatry, Claudine Defeuillet, Bruno Douin

MILAN
jeunesse

Le ciel est toujours là, toujours !

Qu'il soit rouge, bleu, noir, illuminé comme un arbre
de Noël, profond jusqu'à te donner le vertige, sans t'en rendre compte,
tu le surveilles du coin de l'œil. Dix, vingt fois par jour, tu l'interroges...
Et, qui sait ? il y a peut-être d'autres hommes, là-haut, qui ont
les mêmes problèmes que toi...

Tout rond au-dessus de ta tête, le dôme du ciel semble te protéger.
Mais il s'y passe des choses étranges ! Comment comprendre
tous ces changements, tous ces mouvements mystérieux ?

Ce livre va te permettre de regarder le ciel différemment, grâce à de nombreux
schémas, des photos étonnantes, des expériences à réaliser en famille
ou avec des copains. Très vite, tu vas donner rendez-vous... aux planètes.
Tout simplement ! Avec tes jumelles, tu scruteras la nuit pour dénicher
des étoiles en train de naître et des galaxies vieilles de milliards d'années...

Pour qui sait le déchiffrer, le ciel est un immense livre qui raconte mille
et une histoires, toutes plus fantastiques les unes que les autres !
Ce *Copain du ciel* est là pour t'aider, afin que ce ciel
soit pour toi le plus précieux des... copains !

Un ciel dégagé, quelques repères simples sur l'horizon :
le début d'une belle nuit !

Direction :
le ciel

La découverte du ciel est une
extraordinaire aventure. Mais, comme
pour tous les grands voyages, le secret
de la réussite est dans la préparation.
Où aller pour observer le ciel, quand,
avec quel matériel ? Où trouver les
informations ? Alors, tu es décidé ?
C'est parti !

Où observer ?

Le ciel est partout, certes, mais pas de la même
façon ! De ta fenêtre, en pleine ville, le ciel est envahi
par les lueurs qui t'empêchent de voir beaucoup
d'étoiles. Les routes, les rues, les monuments sont
souvent tellement éclairés que le ciel au-dessus d'eux
est d'une grisaille désespérante... Alors, pour retrouver
la vigueur d'un beau ciel, il faut s'écarter des villes,
oser affronter la nature. Tu y perdras en confort
mais tu vas tellement y gagner en observation !

 QUELQUES PRÉCAUTIONS :

• Ne jamais partir seul ;
• Ne pas aller vers des endroits qui peuvent devenir
dangereux dans l'obscurité : falaises, carrières, rives
de fleuve, sentiers escarpés de montagne, etc.

Il faut absolument préparer ta sortie nocturne par
un repérage de jour. En effet, les barbelés et les
clôtures électriques sont sans danger le jour, mais
deviennent la nuit des obstacles redoutables.

Dans quelle direction ?

Il vaut mieux choisir un endroit dégagé, de préférence vers le sud car les astres vont se lever à l'est, passer au zénith (le point le plus haut de leur trajectoire), au sud, et se coucher à l'ouest. Ce qui est particulièrement vrai pour les planètes. Si l'est et l'ouest sont dégagés, tes observations ne seront que meilleures. Selon les endroits que tu choisis, la météo est importante. Évite les endroits humides dans lesquels le brouillard et la rosée vont s'accumuler le soir ou le matin, car la vision sera inconfortable et de mauvaise qualité. Comme tu vas rester des heures immobile, le vent, même tiède, rendra ton observation très désagréable et fatigante.

Pour la nuit en plein air

- Une lampe torche
- Des vêtements chauds
- Une bâche pour t'isoler du sol et de l'humidité
- Une couverture
- Des provisions : boisson chaude dans une bouteille Thermos, gâteaux secs, chocolat, etc.

Et pour l'observation

- Lampe de poche équipée d'une ampoule rouge
- Une carte du ciel
- Une boussole
- Un cahier et un crayon

QUAND OBSERVER ?

Le jour ou la nuit ?

Tout dépend de ce que tu veux observer : le spectacle est permanent, à toi de choisir ! le Soleil, la Lune, les planètes...

Le matin ou le soir ?

Tu dois tenir compte de la qualité de l'air, bien meilleure le matin, car l'air est calme, donc favorable à l'observation. Le soir, s'il a fait chaud dans la journée, l'air va beaucoup vibrer et rendre les observations difficiles.

L'hiver ou l'été ?

D'une saison à l'autre, les constellations visibles sont différentes. La nuit est plus longue l'hiver.
Les observations sont alors plus faciles et meilleures car le ciel froid est plus clair. Mais à d'autres moments, les nuages d'altitude masquent le ciel...
Avec l'expérience et l'aide de ce livre, tu trouveras des méthodes et des trucs pour améliorer sans cesse tes observations.

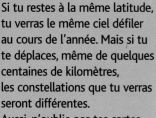

ET EN VACANCES...

Si tu restes à la même latitude, tu verras le même ciel défiler au cours de l'année. Mais si tu te déplaces, même de quelques centaines de kilomètres, les constellations que tu verras seront différentes.
Aussi, n'oublie pas tes cartes du ciel et tes jumelles lorsque tu pars en voyage.

Quand la Lune est pleine, le reste du ciel est bien pâle, alors observe la Lune ! Adapte-toi !

Ton matériel

Le premier instrument que tu dois toujours ménager, c'est bien sûr ton œil. Mais un petit coup de pouce ne fait pas de mal ! Leur nom ? Jumelles, lunette ou même télescope !

Pour bien observer aux jumelles, il faut être calme et respirer doucement. Chaque petit mouvement que tu fais est multiplié par le grossissement de la jumelle et l'image se transforme en « spaghettis ». Si tu veux regarder plus de quelques minutes, cale-toi contre un tronc d'arbre et appuie les bras sur tes genoux.

À taille égale, les différences de prix s'expliquent par la différence de qualité optique.

Bien choisir ses jumelles

Les jumelles sont définies par 2 chiffres, par exemple 6 x 30 ou 7 x 50. Le premier indique le grossissement mais le second est plus important. Il donne le diamètre (en millimètres) des lentilles d'entrée des jumelles, les objectifs. Plus ce diamètre est grand, plus les jumelles captent de lumière, donc plus elles sont lumineuses (mais attention, elles sont plus lourdes !). Pour l'astronomie, il faut au moins des 30 mm ou mieux : des 40 mm.

Les jumelles, l'instrument indispensable

Pour l'astronome amateur, seules les jumelles permettent d'observer le ciel tout de suite, partout, sans installation compliquée. Dans ce livre, tu auras des centaines d'objets à regarder aux jumelles, de jour comme de nuit, en toute saison. Grâce à elles, tu distingueras mieux les couleurs. Et certains objets, comme les comètes, la Voie lactée, les nébuleuses et les amas d'étoiles, sont plus faciles à voir avec des jumelles qu'avec un télescope.

Il te faut des jumelles de bonne qualité, mais faciles à transporter et à utiliser. Si tu les choisis bien et si tu en prends soin, elles t'accompagneront toute ta vie !

La lunette

C'est Galilée qui a construit les premières
lunettes astronomiques. Une lunette est
un ensemble de 2 lentilles, un objectif et
un oculaire. La lumière, collectée par l'objectif,
est concentrée au niveau de l'oculaire pour
restituer une image de quelques millimètres
de diamètre. On trouve des lunettes avec des
lentilles en plastique qui sont des jouets tout
à fait inutilisables pour l'astronomie.

LE TÉLESCOPE

Le télescope a été inventé par Isaac Newton.
Il est constitué de deux miroirs, le premier
concentrant la lumière qu'il envoie sur le second
miroir qui lui-même l'envoie dans l'oculaire.
La manipulation des télescopes est assez facile
et ce sont des instruments qui sont moins chers
qu'une lunette, à grossissement égal.

Dans les clubs d'astronomie, tu verras des lunettes
apochromatiques, constituées d'un objectif
à 3 lentilles, qui donnent des images superbes
des planètes ou de la Lune, mais dont le prix
est beaucoup plus élevé.

 ### DE BONS TRUCS

Installe-toi avec tes jumelles dans un petit bateau
gonflable. Cela va te permettre d'appuyer la tête et
les bras. La position n'est pas très élégante, mais avec
une couverture, c'est un observatoire super ! Tu peux
aussi choisir une chaise longue : les vibrations sont
diminuées. C'est encore mieux si tu fabriques
une armature pour tenir les jumelles.

LE SOLEIL
EST TON ÉTOILE

De toutes les étoiles, c'est la plus belle, la plus brillante, la plus fidèle. Chaque jour de ta vie, elle est là. Jalouse, elle fait disparaître les autres étoiles. Généreuse, elle te réchauffe, t'éclaire, te donne de l'énergie. C'est vraiment ta bonne étoile !

Le Soleil

Quand l'Univers s'est formé, il y a environ 15 milliards d'années, le Soleil n'existait pas. Puis 10 milliards d'années plus tard, cette étoile apparaît, simple petite boule de gaz dans l'immensité...

Un cœur qui fait boum !

Le Soleil est une boule de gaz très ordinaire. Mais son cœur est très dense, et il s'y produit des choses étranges : des réactions nucléaires énormes comme dans les bombes atomiques. Cela envoie beaucoup d'énergie dans l'espace. Ainsi, petit à petit, le Soleil se consume en brûlant son cœur. Mais pas de panique ! Cela dure depuis 5 milliards d'années et on a calculé que cela continuera encore autant ! Puis le Soleil disparaîtra, pour toujours...

Un cœur chaud !

L'été, si tu restes immobile sous les rayons du Soleil, tu sens sa chaleur, et pourtant il est très loin de toi. Quand le thermomètre monte à 40 °C, c'est la canicule et tu te caches à l'ombre. Alors imagine ce qui se passe dans son centre... Il y fait sans doute 15 millions de degrés ! Par contre, à sa surface, la température n'est plus (si l'on peut dire !) que de 6 000 °C ! Si bien que l'énergie dégagée par chaque mètre carré pourrait faire rouler en continu plus de 900 voitures !

Les éruptions solaires, ces immenses jets de gaz montant jusqu'à 500 000 km de hauteur, ne sont visibles qu'avec un filtre spécial (un filtre Hα).

LA NAISSANCE D'UNE ÉTOILE

De gros nuages de gaz et de poussières se sont attirés et contractés pour donner naissance, en 1 milliard d'années, à une étoile, le Soleil, entourée d'un disque.

C'est ensuite dans ce disque de matières en mouvement que sont nées les planètes du système solaire.

Sur le Soleil, ça bouge !

Le Soleil semble toujours le même. Pourtant, les astronomes qui l'observent depuis des siècles ont remarqué que la quantité d'énergie qu'il dégage est très variable. Pendant un cycle d'environ 11 ans, elle augmente, puis elle diminue, et tout recommence. Quand elle est à son maximum, on voit de nombreuses taches sombres à sa surface. Cela se produit lorsque des gaz bouillonnants plus froids entrent en contact avec les gaz plus chauds de la surface. C'est ce remue-ménage qui réchauffe beaucoup la Terre.

COUPE DU SOLEIL

Cœur : lieu des réactions nucléaires.

Chromosphère mince annea rosé visib lors d éclipse

Photosphère : couche de 300 km d'épaisseur qui nous envoie la lumière.

Taches solaires : zones sombres où la température est plus basse. Leur durée de vie varie de quelques heures à plusieurs semaines.

Couronne : couche de gaz très ténue qui diffuse la lumière de la photosphère. Elle n'est visible que lors des éclipses.

Éruptions solaires

CARTE D'IDENTITÉ

Distance moyenne de la Terre : 149 631 000 km
Diamètre : 1 392 000 km
Masse : 330 000 fois celle de la Terre
Volume : 1 300 000 fois celui de la Terre
Pesanteur : 28 fois celle de la Terre (Tu pèserais 28 fois plus lourd si tu te promenais à sa surface !)
Composition : hydrogène (3/4), hélium (1/4) et des proportions infimes d'autres éléments comme le sodium

LE SOLEIL FLUIDE

Comme le Soleil est fluide, toute sa surface ne tourne pas à la même vitesse. À l'équateur, un point de sa surface fait un tour sur lui-même en 25,4 jours, alors qu'aux pôles il lui faut 32 jours pour faire un tour complet.

Observe le Soleil

Avec, impérativement, la présence d'un adulte.
Pas question de regarder ton étoile « droit
dans les yeux », que ce soit à l'œil nu
ou avec un instrument !
Sa lumière est si puissante que
tu risquerais de t'abîmer les yeux.
Plusieurs méthodes permettent
de l'observer sans danger.

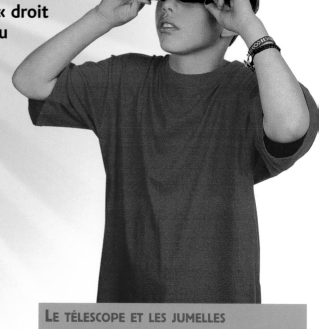

Si tu regardes à l'œil nu

Tes lunettes de soleil ne suffisent pas ! Il faut
mettre un bon filtre entre les rayons du Soleil
et tes yeux. Tu peux utiliser :
• du Mylar, un film en plastique métallisé,
ou un filtre solaire en polymère. Une seule
épaisseur devant tes yeux suffit, car
ce matériau ne laisse passer que 1 rayon
sur 10 000 à 100 000. Tu en trouveras dans
les boutiques d'astronomie ou dans les clubs
d'astronomie ;
 • des lunettes de Mylar ou en polymère.

LE TÉLESCOPE ET LES JUMELLES

Pour regarder avec ton télescope ou ta paire
de jumelles, le Mylar ou le polymère sont
des matériaux idéaux. Il faut en mettre 2 épaisseurs
sur le devant, côté Soleil, en le fixant sur un cadre.

Fabrique ton filtre solaire

1 Découpe le fond du pot.

2 Colle un morceau de Mylar,
ou de polymère.

3 Laisse sécher quelques
minutes et vérifie, tout près
d'une ampoule électrique,
que ton montage est efficace.

• Pot de petit-suisse
• Une feuille de Mylar
  ou de polymère
  homologué pour
  l'observation solaire
• Cutter
• Colle forte en tube

ATTENTION !

N'utilise **jamais** de pellicule couleur
ou de vitre noircie à la bougie.

N'oublie pas de bien fermer
l'œil qui n'est pas protégé !

Un bon truc : observer par projection

Dans ce cas, tu ne regardes pas le Soleil directement, mais tu projettes son image sur un mur blanc ou un écran. Cette méthode permet de voir les taches et la surface du Soleil. Le danger n'est pas pour tes yeux, mais pour ton matériel. Une trop grande chaleur risque de décoller les objectifs. Choisis un moment où le Soleil n'est pas trop violent.

Mesure le diamètre du Soleil

Soleil

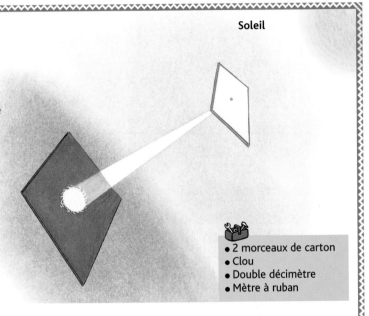

1 Perce un trou avec un clou dans l'un des cartons.

2 Oriente le premier carton pour que le Soleil passe dans le trou et que son image se projette sur le second, que tu installes à l'ombre. Déplace-le jusqu'à ce que l'image soit nette.

3 Mesure la distance entre les 2 cartons, puis le diamètre de l'image.

4 Divise la distance par le diamètre. Cela devrait donner 109.

5 Divise la distance Terre/Soleil, 149 631 000 km, par 109 pour trouver le diamètre du Soleil.

- 2 morceaux de carton
- Clou
- Double décimètre
- Mètre à ruban

La chambre noire

Fais le noir dans une pièce de préférence exposée au sud. Masque la fenêtre avec un vieux drap et perces-y un petit trou. L'image du Soleil se projettera sur le mur avec peut-être quelques taches solaires. Cela s'appelle la méthode de la chambre noire.

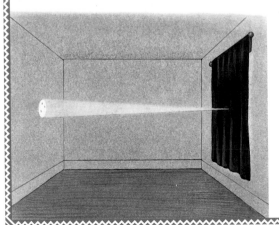

La lunette astronomique

Soleil

Place un morceau de carton derrière l'oculaire d'une lunette astronomique (ou d'une paire de jumelles dont tu obtures l'un des côtés). Dessine un cercle de 14 cm de diamètre sur du papier millimétré. Là, 1 cm représente 100 000 km sur le Soleil. De jour en jour, compare l'emplacement des taches, leur nombre, etc.

Quand le Soleil se cache...

Là encore, comme à chaque fois que tu observes le Soleil, protège-toi les yeux avec un filtre solaire et ne regarde ce phénomène que par épisodes de quelques secondes seulement.

Une folle partie de cache-cache !

Dans ce cache-cache, qui s'appelle une éclipse solaire, il y a trois joueurs : la Terre, la Lune et le Soleil.
Tous les trois tournent, chacun à son rythme, tranquilles...
Mais, tous les 2 ou 3 ans, la Lune passe exactement entre la Terre et le Soleil.
Petit à petit, le disque de la Lune masque alors le Soleil, et une partie de la Terre est dans l'ombre. Puis la Lune s'éloigne et le Soleil réapparaît.

Suivant l'endroit où tu te trouves sur la Terre et la position de la Lune, tu verras une éclipse partielle (une partie du disque solaire reste visible) ou totale (le Soleil sera complètement caché).

OBSERVER LA COURONNE SOLAIRE ?

En 1930, Bernard Lyot, un astronome de l'observatoire du pic du Midi, dans les Pyrénées, inventa le coronographe. C'est un disque noir que l'on fixe à l'intérieur d'un télescope. Il sert d'écran entre le Soleil et l'observateur. On peut alors voir la couronne solaire et des jets de gaz qui s'élèvent à des millions de kilomètres.

DATES DES PROCHAINES ÉCLIPSES

Les éclipses ne se produisent pas au hasard. Il faut qu'il y ait une nouvelle Lune, et qu'elle traverse le plan orbital de la Terre, appelé pour cette raison : plan de l'écliptique. Il est donc possible de les prévoir avec précision. Pour connaître les dates des prochaines éclipses, renseigne-toi dans les clubs d'astronomie, auprès de l'Association française d'astronomie (AFA) ou de la Société astronomique de France (SAF).

La Lune passe entre la Terre et le Soleil.

Zone d'éclipse partielle

Soleil

Lune

Terre

Zone d'éclipse totale

LA RUSE DE TINTIN

Et toi, ô puissant Soleil, montre à tous, par un signe tangible, que tu ne désires pas notre mort.

Tintin était condamné à mourir sur le bûcher quand il eut une idée géniale. Se souvenant qu'une éclipse de Soleil devait avoir lieu ce jour-là et à cette heure précise, il ordonna au Soleil de se cacher, ce qu'il fit.
Le peuple qui devait le tuer vit alors en lui un dieu puissant qu'il fallait craindre... et le gracia !
(*Tintin et le Temple du Soleil*)

Observe sans danger une éclipse

Avec une boîte en carton

1 Prends une boîte à chaussures. Au milieu de l'un des petits côtés, fais un petit trou avec une aiguille.

2 Oriente ce côté face au Soleil, de façon à voir sur l'autre côté, à l'intérieur de la boîte, l'image du Soleil. Elle sera inversée comme dans un télescope.

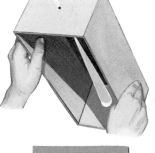

Avec des jumelles

1 Dos au Soleil, oriente le grand côté de tes jumelles vers le Soleil.

2 Prends une feuille de carton blanc et cherche la distance où l'image projetée du Soleil sera la plus nette.

Pendant une éclipse totale, il est possible de voir l'enveloppe de gaz très chaude qui entoure le Soleil : la couronne solaire.

La lumière du Soleil

La Terre ne reçoit qu'une infime partie de toute l'énergie libérée par le Soleil. Pourtant cette énergie a complètement transformé la planète.

Sans Soleil : nuit et froid !

Si tu imagines une nuit d'hiver sans Lune, dans un désert, tu n'auras qu'une très petite idée de ce que serait la Terre si le Soleil n'existait pas : un caillou sans vie, dans un froid glacial de − 273 °C, dérivant à l'infini dans l'espace, éclairé seulement par des étoiles lointaines... Sinistre !

Qu'est-ce que la lumière ?

Si tu peux percevoir la lumière, c'est parce qu'elle se déplace jusqu'à ton œil sous forme d'une infinité d'ondes. Rapides, elles se déplacent à la vitesse de 300 000 km/s et n'ont pas besoin de support matériel pour voyager. (C'est d'ailleurs ce qui fait rêver les auteurs de science-fiction qui imaginent l'homme chevauchant dans l'espace ces ondes ultrarapides !) Ainsi, quand la lumière est déviée par un miroir, elle reste intacte. Mais lorsqu'elle traverse l'atmosphère, elle « perd » certaines de ces ondes, ce qui donne au ciel sa belle couleur bleue !

EINSTEIN ET SA CÉLÈBRE ÉQUATION

En 1905, Albert Einstein a démontré la relation qui existe entre la vitesse de la lumière (c), la matière (m) et l'énergie (E). Le résultat est la fameuse équation $E = mc^2$ qui a révolutionné la physique moderne. Cela explique, par exemple, que lors des réactions nucléaires, au cœur des étoiles, une partie de la masse des atomes d'hydrogène se transforme en énergie, sous forme de rayonnement lumineux. C'est l'une des raisons pour lesquelles les étoiles brillent.

Fabrique un disque de Newton

Grâce à ce disque, tu vas reconstituer la lumière blanche, comme Newton, mathématicien et physicien anglais du XVIIe siècle, qui prouva, à l'âge de 23 ans, que la lumière blanche était composée du mélange de toutes les couleurs. Répartis, sur un disque de carton de 12 cm de diamètre, les 7 couleurs de l'arc-en-ciel. Passe un crayon au milieu du carton et fais-le tourner, comme une toupie. Avec la vitesse, ton cerveau ne distingue plus les couleurs et les mélange : tu vois du blanc.

À TA CALCULETTE !

Sachant que le Soleil est situé à 150 millions de kilomètres de la Terre et que la lumière parcourt 300 000 km/s, combien de temps les rayons du Soleil mettent-ils pour t'atteindre ?

Réponse : 500 s, c'est-à-dire 8 min et 20 s.

Compare la vitesse du son et de la lumière

1 Choisis un endroit dégagé et place-toi à 300 m d'un copain qui tiendra la casserole entre les genoux, la lampe torche dans la main gauche et la louche dans la main droite.

2 Il faut qu'il allume la lampe quand il tape avec la louche sur la casserole.

3 À l'aide de ton chronomètre, compte le temps qui s'écoule entre le moment où tu vois la lumière et celui où tu entends le bruit.

4 Comme le son se déplace aux alentours de 300 m/s, ton chronomètre marque 1 s. Quant à la lumière, elle va si vite, 300 000 km/s, que tu as l'impression que c'est instantané. En fait, elle a mis un millionième de seconde.

- Lampe torche
- Louche
- Casserole
- Chronomètre

L'arc-en-ciel et le halo

En plein jour, des couleurs et des lueurs bizarres apparaissent parfois dans le ciel. Étranges phénomènes qui permettent de percer les mystères de la lumière du Soleil...

L'arc-en-ciel

Il fait beau. Le ciel se couvre, une petite averse tombe, puis le Soleil revient. Alors un immense arc multicolore apparaît : c'est un arc-en-ciel. Magique ? Pas tout à fait ! Pour le voir, plusieurs conditions doivent être réunies. Il faut que le Soleil soit à mi-chemin entre l'horizon et le zénith, dans cette partie du ciel qui est juste au-dessus de toi. Et surtout il faut la pluie, avec ses milliards de gouttelettes d'eau en suspension dans le ciel. Ce sont elles qui réussissent parfois à décomposer la lumière du Soleil.

Le halo

Le ciel est pâle, d'un blanc laiteux à cause de quelques nuages situés très haut dans le ciel. Et puis un cercle gigantesque parfait apparaît tout autour du Soleil pendant quelques dizaines de minutes. Il vient de la lumière du Soleil, bien sûr, mais seulement lorsqu'elle a pénétré les minuscules cristaux de glace qui naviguent dans les nuages.

À l'intérieur du halo, la lumière est plutôt rouge et, à l'extérieur, plutôt bleutée.

Crée un arc-en-ciel dans ton jardin

Place-toi dos au Soleil. Pulvérise l'eau d'un tuyau d'arrosage équipé d'une lance en la réglant sur la position où les gouttes d'eau sont les plus petites. Devant toi, un arc-en-ciel apparaît. Si rien ne se passe, bouge légèrement la direction de l'eau ou recommence un jour où le Soleil est plus fort.

Quand une partie de la lumière du Soleil rebondit dans les gouttes de pluie, un second arc apparaît au-dessus du premier. Souvent peu visible, il est deux fois plus large, ses couleurs sont inversées et plus pâles.

DES GOUTTES ET DES COULEURS

Les sept couleurs de l'arc-en-ciel sont : violet, indigo, bleu, vert, jaune, orange, rouge. Plus les gouttes sont petites, plus les couleurs sont différenciées.

Taille	Couleurs
1 à 2 mm	violet et vert vif, rouge très pur, peu de bleu.
0,5 mm	le rouge est plus faible.
0,2 à 0,3 mm	toutes les couleurs sont plus pâles, mais l'arc est large, et toutes les couleurs sont visibles.

La lumière de la Lune peut donner elle aussi de beaux arcs-en-ciel. Mais il faut qu'elle brille beaucoup et que le ciel soit très pur. Ce phénomène est rare.

Un arc-en-ciel dans une bassine

1 Place le miroir incliné dans la bassine à moitié pleine d'eau et fixe-le avec de la pâte à modeler.

2 Oriente le faisceau de la lampe vers la partie immergée du miroir et tiens le carton verticalement en face du miroir, au-dessus de la lampe.

3 Déplace la lampe jusqu'à ce que la lumière apparaisse sur le carton. Ce que tu vois est ce qui se produit dans un arc-en-ciel.

- Bassine
- Miroir
- Lampe de poche
- Carton blanc

Les couleurs du ciel

De quelle couleur est le ciel ? Bleu, bien sûr ! Mais sache, petit Terrien, que tu as de la chance, car ce n'est pas le cas partout, loin de là !

Si tu te poses sur la Lune, tu découvres un ciel noir. Au loin, la Terre apparaît en croissant. Chacun son tour !

Le ciel bleu, une merveille de la Terre !

Rappelle-toi les photos prises sur la Lune en 1969 : au-dessus des astronautes, le ciel est... noir, et le restera quelle que soit l'heure. Cela serait différent si la Lune possédait, comme la Terre, cet épais manteau gazeux : l'atmosphère. En effet, elle seule est capable, grâce aux gaz qu'elle contient, de disperser les rayons lumineux du Soleil. Alors, plus le ciel de la Terre contient de vapeur d'eau, plus les couleurs de la lumière sont éparpillées : le ciel perd sa belle couleur bleue et blanchit !

Mesure le bleu du ciel avec un cyanomètre

1 Découpe une bande de papier de 10 cm.

2 Laisse une marge de 4 cm et peins des bandes bleues, numérotées de 1 à 10, les unes au-dessus des autres en y ajoutant de plus en plus de blanc.

- Feuille de papier à dessin
- Pinceau
- Gouache : bleu cyan et blanc

3 Compare tes observations avec cette gamme de bleus : d'une heure à l'autre, d'une région du ciel à l'autre, etc. Note tes résultats et compare-les.

ASTUCE

Utilise un miroir pour comparer le bleu du ciel à celui de ton cyanomètre, ce sera plus facile !

Le bleu et le rouge du ciel dans un aquarium

1 Remplis l'aquarium d'eau et ajoute quelques gouttes de lait.

2 Demande à un copain de tenir la lampe contre l'une des parois, du côté le moins large. Si tu regardes à l'autre extrémité, la lumière est légèrement rose, alors que si tu te places sur le grand côté de la cuve, elle est bleutée.

- Aquarium
- Lait
- Lampe de poche

4 Si elle est épaisse, seuls les rayons rouges arrivent jusqu'à ton œil.

3 L'eau laiteuse agit comme l'atmosphère : si elle est mince, les rayons bleus te parviennent.

La lumière rouge du Soleil est maximale 15 à 30 min après son coucher et elle est très intense en cas d'éruption volcanique récente.

LE SOLEIL APLATI

L'été, par beau temps, lorsque le Soleil se couche au-dessus de la mer ou d'un lac, il paraît de plus en plus gros et il semble se déformer, s'aplatir. Regarde-le et dessine-le. Penche la tête sur l'épaule et dessine-le à nouveau. La forme que tu dessines est différente, et pourtant ! le Soleil n'a pas changé, ni de forme, ni de taille...

Le ciel rouge : une farce du Soleil et des volcans !

Parfois, le soir, le Soleil est rouge. En descendant sur l'horizon, ses rayons passent en biais dans l'atmosphère et traversent une plus grande épaisseur de gaz. La couleur rouge est la seule à réussir ce parcours d'obstacles : le Soleil semble alors rougir. Et si le ciel rougit, cela s'appelle la « lumière pourpre ». Elle est due à la réflexion du Soleil sur les poussières volcaniques qui tournent à plus de 10 km de la Terre.

Les rayonnements solaires

Quand le Soleil t'éclaire, c'est
qu'il t'envoie des rayons lumineux.
S'il te réchauffe, c'est grâce
aux rayons infrarouges, mais
il en existe de nombreux autres,
très mystérieux et souvent
dangereux...

Halte ! On ne passe pas !

Pour se défendre contre
les rayons ultraviolets, ta peau
fabrique de la mélanine. Cette substance
la protège en la colorant : tu bronzes !
Mais attention ! S'exposer souvent et longtemps
à ces rayons peut provoquer des cancers de la peau.

ILS ÉCOUTENT LE SOLEIL !

Oui, le Soleil vibre comme
une énorme cloche ! Alors
des scientifiques, associés dans
le programme international
« GONG », captent ses sons
mystérieux qui donnent
une foule d'informations
sur l'intérieur du Soleil.

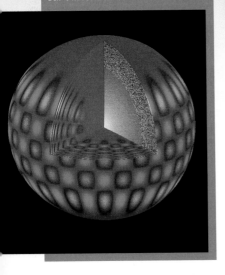

Les rayons invisibles qui chauffent

Les responsables de la chaleur solaire, ce sont les rayons
infrarouges. Tu ne les vois pas, mais tu les sens sur ta peau :
ça chauffe et, parfois, ça brûle ! Ces rayons sont indispensables :
ils réchauffent l'atmosphère et le sol. Grâce à eux, la température
terrestre permet aux végétaux, aux animaux et donc aux hommes
de vivre !

Les autres rayons invisibles

Les plus connus sont les rayons ultraviolets. Dangereux,
ils pourraient te griller en une minute ! Mais ils sont en partie
filtrés par un gaz contenu dans l'atmosphère : l'ozone.
C'est pour cela que sa disparition à certains endroits
(tu as entendu parler des trous dans la couche d'ozone...), même
minime, inquiète le monde entier. D'autres rayons, gamma et X,
ne parviennent pas jusqu'à toi. Heureusement, car ils transportent
tellement d'énergie qu'ils seraient mortels.

L'atmosphère : un bouclier contre les rayons du Soleil

La troposphère arrête les rayons les plus énergétiques : gamma, X, et la plupart des ultraviolets. Par contre, une partie des rayons infrarouges et presque toute la lumière visible atteignent le sol de la Terre.

ICARE, VICTIME DU SOLEIL

Selon la légende, Icare s'enfuit de sa prison grâce aux ailes que son père, Dédale, fixa sur son dos avec de la cire. Malgré les conseils de prudence de son père, Icare vole de plus en plus haut au-dessus de la mer. La cire fond sous la chaleur du Soleil et Icare tombe dans la mer, victime de son audace démesurée.

Le Soleil envoie aussi des particules vers la Terre, appelées « vent solaire ». Parfois, ces éruptions sont si violentes qu'elles colorent le ciel au-dessus des pôles, là où la protection de la planète est la plus faible. Ce sont les aurores boréales, au nord, ou australes, au sud. En 1989, une aurore boréale a même été visible à Paris !

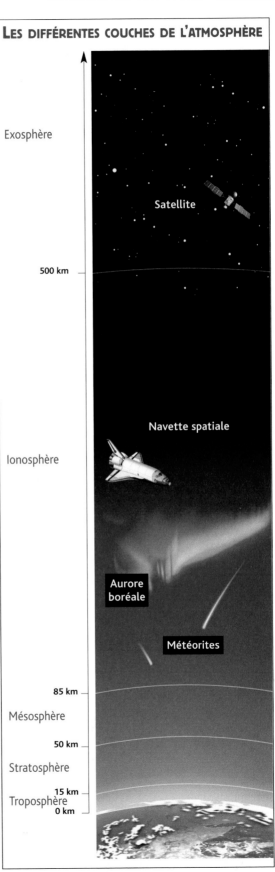

LES DIFFÉRENTES COUCHES DE L'ATMOSPHÈRE

Exosphère

Satellite

500 km

Ionosphère

Navette spatiale

Aurore boréale

Météorites

85 km

Mésosphère

50 km

Stratosphère

15 km
Troposphère
0 km

Le Soleil, quelle énergie !

La Terre possède trois sources d'énergie : celle de son noyau, très radioactif, qui est si chaud que le métal y reste en fusion, celle des mouvements de la Lune et du Soleil qui gouvernent les marées et surtout celle de ton étoile : le Soleil !

Énergie solaire : la grande transformation !

Là, tout se complique ! Une partie de l'énergie solaire a créé des matières organiques (plantes terrestres, algues, etc.) qui, au cours de millions d'années, se sont transformées en produits fossiles : pétrole ou charbon. Mais leur stock ne peut pas se renouveler car les conditions du sous-sol terrestre (pression, température, etc.) ont changé. Pendant ce temps, la chaleur solaire a réchauffé l'atmosphère, le sol, créant les courants, les vents, le cycle de l'eau. Cela dure encore, et, bien que la Terre n'en reçoive qu'une infime partie, cette chaleur est une source d'énergie inépuisable et non polluante appelée « énergie douce ».

VOITURES SOLAIRES

Tous les 3 ans, une course réservée aux voitures solaires traverse l'Australie. Pendant les 3 000 km de la course, elles dépassent parfois les 100 km/h, à midi !

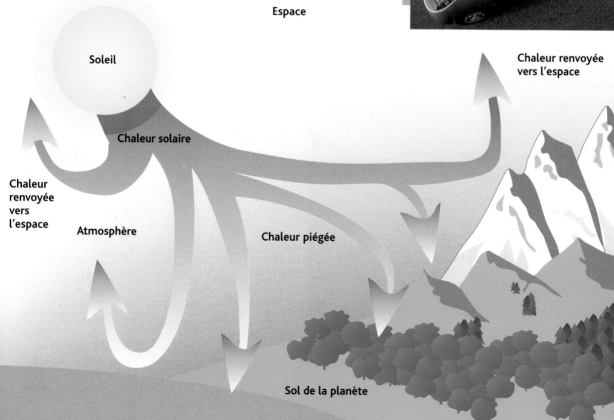

Espace

Soleil

Chaleur renvoyée vers l'espace

Chaleur solaire

Chaleur renvoyée vers l'espace

Atmosphère

Chaleur piégée

Sol de la planète

Mesure l'énergie du Soleil

1 Tapisse l'intérieur de la boîte de plastique noir. Mets-la au soleil quelques minutes et mesure la température.

2 Laisse le thermomètre à l'intérieur et pose une vitre sur la boîte. Que fait le thermomètre ? (Un œuf peut y cuire en 1 h !)

- Boîte en polystyrène
- Plastique noir
- Thermomètre

À l'intérieur de la serre, l'air devient vite plus chaud qu'à l'extérieur, de 10 à 20 °C. La température a augmenté car la chaleur n'a pas pu ressortir, elle a été piégée par la vitre : c'est l'effet de serre. Dans l'atmosphère terrestre, c'est le dioxyde de carbone qui fait monter la température de la planète : danger !

Énergie, si j't'attrape !

Tout le problème est là ! Devant cette caverne d'Ali Baba, comment faire pour accéder au trésor ?
Première solution : faire chauffer de l'eau par le Soleil grâce à des capteurs solaires. On a alors du chauffage et de l'eau chaude pour la maison. Seulement quand le Soleil le veut bien ! Et, la nuit, on est dans le noir...
Deuxième solution : les panneaux solaires. Grâce à une réaction chimique entre le Soleil et un matériau spécial, le silicium, on produit de l'électricité et on la stocke dans une batterie. Cette énergie est petite en quantité, mais si précieuse lorsqu'on est isolé, et sous le Soleil !

LES CENTRALES SOLAIRES, C'EST DEMAIN !

Oui, si des panneaux solaires de plusieurs kilomètres carrés tournaient autour de la planète et envoyaient l'énergie au sol sous forme de micro-ondes... Plutôt après-demain, non ?

Cette bergerie de haute montagne des Pyrénées est équipée d'un panneau solaire.

Bricolages solaires

Si, comme Robinson Crusoé, tu échouais sur une île déserte,
tu pourrais survivre en utilisant astucieusement l'énergie du Soleil.
Tu vas te laver, cuire tes aliments, boire de l'eau douce et même
faire un tour de magie... mais devant qui, au fait ?

Comment dessaler l'eau de mer ?

Ce montage te permet de fabriquer de l'eau
douce à partir d'eau de mer. C'est encore le Soleil
qui, grâce à l'effet de serre, fait évaporer l'eau
salée. Quand elle se condense
sur la paroi froide du plastique,
elle n'entraîne pas le sel
avec elle, elle n'est donc plus
salée. Mais attention, grosse
soif urgente s'abstenir !

Coupe un fil sans le toucher !

Suspends à un fil de coton un boulon dans
une bouteille en verre blanc vide. Ferme-la avec
un bouchon de liège. À l'aide d'une loupe, oriente
les rayons du Soleil vers le fil. Ces rayonnements
sont dirigés vers un
point très petit par
la loupe. Résultat :
le fil chauffe, brûle
et casse ! De la même
façon, quand
le Soleil tape fort
sur des tessons
de bouteille, les herbes
très sèches, en dessous,
s'échauffent parfois
tellement qu'elles
s'enflamment !

Au secours, mon Soleil !

Voici une expérience simple, pour comprendre
à quel point l'énergie du Soleil est indispensable
aux plantes.

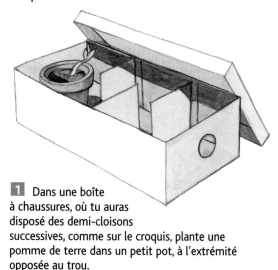

1 Dans une boîte
à chaussures, où tu auras
disposé des demi-cloisons
successives, comme sur le croquis, plante une
pomme de terre dans un petit pot, à l'extrémité
opposée au trou.

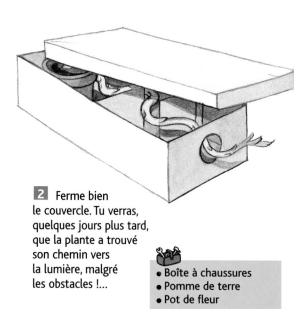

2 Ferme bien
le couvercle. Tu verras,
quelques jours plus tard,
que la plante a trouvé
son chemin vers
la lumière, malgré
les obstacles !...

- Boîte à chaussures
- Pomme de terre
- Pot de fleur

Comment cuire ton hot dog ?

Le cuiseur

À l'aide d'un cutter, retire le bord d'une boîte à chaussures pour que sa largeur mesure exactement le double de sa hauteur. Fixe à l'intérieur, avec du Scotch, une feuille de carton recourbée en demi-cercle et recouverte de papier d'aluminium.

La broche

Forme une tige et une poignée avec du fil métallique rigide. Fais un trou dans les 2 côtés de la boîte comme indiqué sur le schéma et glisses-y la broche et la saucisse.

La cuisson

Oriente ton cuiseur perpendiculairement aux rayons du Soleil et tourne doucement la broche.

Le principe

L'aluminium joue le rôle d'un miroir qui concentre les rayonnements solaires sur la saucisse. En les absorbant, elle s'échauffe et cuit, comme dans une centrale héliothermique.

Comment chauffer l'eau de ta douche ?

1 Fabrique un coffret en bois d'environ 40 cm de côté. Tapisse le fond avec du papier d'aluminium peint en noir.

2 Dispose en colimaçon le tuyau de caoutchouc peint en noir. Fais 2 encoches dans le coffret pour qu'il puisse entrer et sortir.

3 Pose dessus une vitre en la collant avec un adhésif noir.

4 Place ton dispositif au soleil. Branche le tuyau sur un robinet, laisse-le couler tout doucement. Pour avoir de l'eau très chaude, arrête l'eau en pliant le tuyau en deux avec une pince à linge et laisse le Soleil faire le reste. Attention, parfois, ça brûle !

Le principe

• L'aluminium, comme tous les métaux, capte et répartit la chaleur sur tout le tuyau.
• La couleur noire de l'aluminium et du tuyau absorbe les rayonnements et les transforme en chaleur.
• La vitre accumule la chaleur dans ton chauffe-eau.

- • Bois
- • Tuyau de caoutchouc
- • Vitre
- • Peinture noire
- • Papier d'aluminium

Le Soleil, le maître du temps

Chaque jour, le Soleil traverse le ciel, plus ou moins haut, plus ou moins longtemps. Tous ses mouvements ont été observés par les hommes et utilisés pour mesurer le temps qui passe grâce à des horloges, des calendriers...

Le maître du jour et de la nuit

Quand le Soleil bouge dans le ciel, le monde entier règle sa montre sur ses déplacements. Et pourtant, en réalité, c'est la Terre qui déroule toute sa surface devant le Soleil. Il faut 24 h pour que ses rayons effleurent la Terre entière.
Il y a donc une face de la Terre qui est éclairée par le Soleil quand la face opposée est dans l'ombre : c'est le jour et la nuit.

La Terre et le Soleil

1 Perce l'orange (c'est la Terre) avec l'aiguille à tricoter.
Dessine une ligne avec un feutre au milieu de l'orange (l'équateur).

2 Fais tourner l'orange devant la lampe (c'est le Soleil).
Une face est éclairée tandis que l'autre ne l'est pas.

- Orange
- Aiguille à tricoter
- Lampe de poche

Le maître de l'année

Si tu étais sur le Soleil, il te faudrait attendre une année entière (365 jours plus quelques heures) pour revoir la Terre exactement à la même place.
Alors comment diviser l'année en parts égales ?
De nombreuses civilisations se sont aidées des phases de la Lune mais avec des calculs différents. Ce qui explique la variété des calendriers utilisés sur Terre.

L'ANNÉE ZÉRO, C'EST QUAND ?

Pour tout arranger, selon les religions,
on ne commence pas à compter les années à partir
du même moment ! Quand c'est la première année
pour les catholiques, celle de la naissance de Jésus-
Christ, que se passe-t-il pour les autres ?
Les juifs sont déjà en 3761 après la création
du monde. Les musulmans ne commencent que
622 ans plus tard, quand leur prophète a été chassé
de La Mecque. Aussi l'année débute-t-elle à des
moments différents pour les différentes religions.

REPÈRE L'HEURE DU COUCHER DU SOLEIL

Les heures de lever et de coucher du Soleil varient
très peu d'un jour à l'autre. Pour les vérifier,
choisis un élément fixe du paysage : clocher,
antenne… Note l'heure (à la seconde près
et avec la même montre) où le Soleil le touche,
plusieurs jours de suite. Compare avec les heures
notées sur le calendrier.

Quand la nuit égale le jour…

Deux fois par an, le jour est égal à la nuit,
à la seconde près : c'est l'équinoxe, le 21, 22 ou
23 mars et le 21, 22 ou 23 septembre. Entre
deux équinoxes de printemps, il y a 365 jours
5 h 48 min et 46 s. Cela ne simplifie pas les calculs…
mais on sait de combien ils sont faux !
Alors, en 46 av. J.-C., Jules César décida, sur
les conseils d'un mathématicien d'Alexandrie,
de créer un nouveau calendrier : 12 mois
de 30 et 31 jours, avec un jour de plus les années
bissextiles, tous les 4 ans. Mais pour ajuster
les calculs, l'année précédente fut celle de la
« confusion ». Elle dura… 445 jours !

Dans le sud de l'Angleterre, à Stonehenge, un anneau
de pierres montre le lever du Soleil depuis plus de 4 000 ans !
Ce monument néolithique a sans doute servi de calendrier
pour les travaux agricoles.

Les Chinois fêtant la nouvelle année, qui dure 354/355 jours
ou 383/384 jours car leur calendrier tient compte à la fois
de la Lune et du Soleil.

Mesurer le temps qui passe

Le matin, le Soleil se lève à l'est, et le soir se couche à l'ouest. Entre les deux, comment mesurer le temps qui passe ? Il y a un repère, celui où le Soleil est au plus haut dans le ciel : le zénith. Là, il est midi, heure solaire. Tu vois le Soleil traverser chaque jour le ciel à la même vitesse car la Terre tourne régulièrement autour du Soleil. Pour le vérifier, observe le déplacement de l'ombre d'un objet. D'une heure à l'autre, l'ombre se déplace toujours de la même distance, chaque jour.

Voyons, Il est... Il est... EUH !

Au fait, quelle heure est-il ?

Autrefois, il n'y avait que l'heure donnée par la position du Soleil : l'heure solaire. Maintenant, il y a, en plus, celle de la loi : l'heure légale. En France, il y a 2 h d'écart entre les deux en été et 1 h en hiver. Ainsi, lorsqu'il est 22 h l'été, heure légale, il n'est que 20 h, heure solaire. Mais une prochaine loi peut changer ce décalage. Et pour tous les habitants de la Terre ? Il y a le temps universel (TU), c'est-à-dire l'heure donnée par le Soleil quand on se trouve sur le méridien de Greenwich, en Angleterre. Cette heure sert de repère pour le monde entier.

QU'EST-CE QU'UN MÉRIDIEN ?

C'est une ligne imaginaire qui va du pôle Nord au pôle Sud. Tout le long de cette ligne, l'heure est la même. La latitude est la distance d'un point du globe par rapport à l'équateur. Elle est égale à zéro à l'équateur et à 90° à chacun des pôles. En France métropolitaine, elle varie de 42° à 52°.

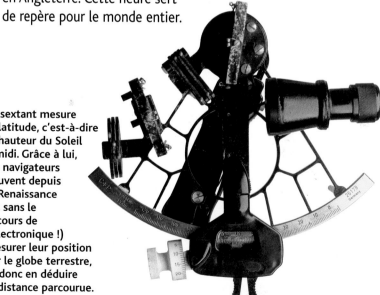

Le sextant mesure la latitude, c'est-à-dire la hauteur du Soleil à midi. Grâce à lui, les navigateurs peuvent depuis la Renaissance (et sans le secours de l'électronique !) mesurer leur position sur le globe terrestre, et donc en déduire la distance parcourue.

Lis l'heure avec tes mains

1 Prends un stylo et coince-le entre ton pouce et ta paume, main ouverte à plat.

2 Le matin, utilise ta main gauche orientée vers l'ouest.

3 L'après-midi, utilise ta main droite orientée vers l'est.

4 Incline ton stylo de 45° (la moitié d'un angle droit) vers le centre de la paume (45° est la latitude moyenne, en France).

5 Tes doigts t'indiquent l'heure solaire comme sur le schéma ci-contre.

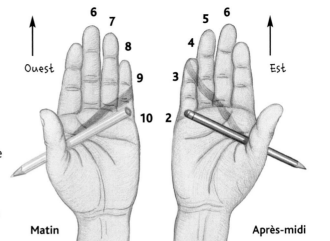

Ouest — Matin
Est — Après-midi

CARTE DES FUSEAUX HORAIRES

Quand il est midi à Paris, quelle heure est-il ailleurs dans le monde ? Facile ! Il suffit de savoir dans quel fuseau horaire on se trouve et de faire un rapide calcul.

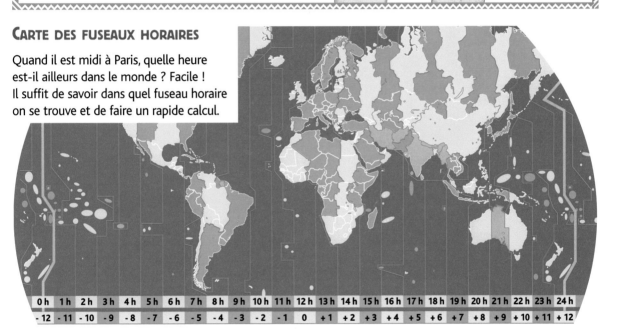

0 h	1 h	2 h	3 h	4 h	5 h	6 h	7 h	8 h	9 h	10 h	11 h	12 h	13 h	14 h	15 h	16 h	17 h	18 h	19 h	20 h	21 h	22 h	23 h	24 h
- 12	- 11	- 10	- 9	- 8	- 7	- 6	- 5	- 4	- 3	- 2	- 1	0	+1	+2	+3	+4	+5	+6	+7	+8	+9	+ 10	+ 11	+ 12

Les fuseaux horaires

Quand il fait jour chez toi, il fait nuit de l'autre côté de la Terre. Oui, mais alors quelle heure est-il ? Tout dépend de l'endroit. Pour que ce soit simple, on a divisé la Terre en 24 zones où l'heure est la même du nord au sud : ce sont les fuseaux horaires. Ainsi, à intervalles réguliers, on avance d'une heure en se déplaçant vers l'est.

Oriente-toi avec ta montre

1 Règle ta montre (à aiguilles, c'est impératif !) à l'heure solaire (*voir p. 40*).

2 Vise le Soleil avec la petite aiguille.

Résultat :

Le sud se trouve toujours exactement entre la petite aiguille et le midi de ta montre.

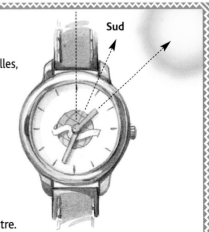

Sud

Mesure le temps avec le Soleil

Pour mesurer le temps, il faut observer le Soleil, sa hauteur dans le ciel ou même son ombre. Avec ces trois objets, tu auras l'heure solaire, à condition qu'il fasse jour et un peu soleil tout de même...

Fabrique un bâton de Jacob

Ce simple bâton est en fait l'ancêtre du sextant. Grâce à lui, tu vas mesurer la hauteur de n'importe quel objet du ciel en projetant l'ombre d'un bâton (vertical) sur un autre bâton (horizontal). Il est indispensable pour mesurer la hauteur des étoiles, mais il permet aussi de mesurer la hauteur du Soleil dans le ciel. Mesurée en degrés, cette hauteur change d'une saison à l'autre ; elle est à son maximum chaque jour à 12 h, c'est donc le midi heure solaire. Le cadran solaire te donnera les heures suivantes.

1 Peins le grand tasseau. Lorsque c'est sec, trace au feutre noir les indications ci-dessous :

4 cm	5,5	7	8,6	10,5	12,6	15	17,9	21,4	26	32,2	41,2
75°	70°	65°	60°	55°	50°	45°	40°	35°	30°	25°	20°

2 Écris « nuit » à côté de la marque à 4 cm, et « jour » à l'autre bout.

3 Sur l'autre bâton, colle une première cale à 15 cm du bord et une seconde 13 mm plus loin de façon à ce que le grand bâton puisse y coulisser.

4 Pour mesurer la hauteur du Soleil, place-toi dos au Soleil et tiens le bâton à hauteur de l'œil côté « jour » en visant l'horizon. Fais coulisser le petit bâton jusqu'à ce que son ombre se projette sur le carton punaisé au bout du plus long bâton.

Recule doucement jusqu'à ce que l'ombre soit au ras du grand tasseau. La position du bras indique alors la position du Soleil dans le ciel en degrés. Plus le nombre de degrés est élevé, plus le Soleil est haut dans le ciel.

- 2 tasseaux de 12 mm de section, 1 de 50 cm et 1 de 30 cm
- Peinture
- Chutes de bois
- Feutre noir, type correcteur
- Morceau de carton blanc
- Punaise

Fabrique un cadran solaire

Quand le Soleil éclaire un bâton, une ombre
se forme derrière lui. Sur le sol, l'ombre se déplace
tout au long de la journée et permet de lire l'heure.

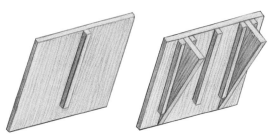

1 Sur l'une des plaques, trace un triangle dont
l'angle aigu est égal à la latitude du lieu où tu te
trouves (à chercher sur la carte routière de ta région.)
Dessines-en un identique en vis-à-vis
et découpe-les avec la scie.

2 Sur l'autre plaque, trace
2 axes perpendiculaires
qui te donneront le centre
du carré et indique au milieu
de chaque bord les 4 points
cardinaux : nord, sud, est,
ouest. Dessine un cercle
et partage-le en 24 secteurs
égaux de 15° chacun.
Fais une marque.

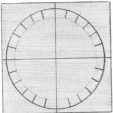

3 Dessous, colle le tasseau le long de l'axe nord-sud.

4 Plante le clou au centre, à angle droit, puis colle les
2 triangles, de sorte qu'ils ne dépassent pas du cadran.

5 Pose le cadran sur un endroit plat, la planche
orientée vers le nord.

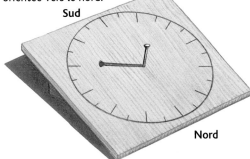

L'ombre du clou indique alors l'heure solaire.

- 2 plaques de 20 x
  20 cm de contreplaqué
- 1 gros tasseau
- 1 grand clou
- Rapporteur
- Compas

Fabrique un gnomon à fente

Ce curieux nom vient du grec.
Comment ça marche ? Cette fois, c'est
la lumière du Soleil et pas son ombre
qui laisse une trace visible et mesurable.

1 Fabrique 2 équerres en carton fort
de 20 cm de haut.

2 Relie-les sur l'un des côtés droits
par un ruban adhésif noir, en laissant
au milieu une fente de 5 cm de long.

3 Place-les sur une feuille de papier
en orientant la fente vers le sud.

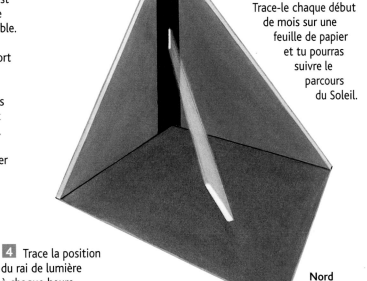

Sud

5 À midi, heure solaire,
ce rai est très court et
il varie avec les saisons.
Trace-le chaque début
de mois sur une
feuille de papier
et tu pourras
suivre le
parcours
du Soleil.

4 Trace la position
du rai de lumière
à chaque heure.

Nord

- Carton fort
- Équerre
- Ruban adhésif noir

Le Soleil, maître des fleurs

Le Soleil fait si bien son travail que les fleurs l'attendent pour s'ouvrir ou se fermer, chaque jour, à la même heure. Lire l'heure en regardant les fleurs, ce serait possible, à condition bien sûr d'être aussi bon jardinier !

L'horloge végétale

Un botaniste suédois du XVIIIe siècle, Carl von Linné, a noté pendant des années ses observations sur les plantes, dans la nature et en laboratoire. Il a identifié de nombreuses plantes et a inventé une manière de les regrouper selon une classification encore utilisée aujourd'hui. Puis il a noté l'heure précise à laquelle chacune s'ouvrait et se fermait. Il a créé ainsi ce qu'on a appelé l'« horloge végétale de Linné ».

EXTRAITS DE L'HORLOGE VÉGÉTALE DE LINNÉ

À 3 h, le liseron des haies
Sa fleur ne va pas vivre longtemps : une journée seulement ! Alors, elle s'ouvre tôt, lorsque le Soleil est à peine levé.

À 4 h, le salsifis
Dans les champs, ses fleurs jaunes ressemblent un peu à celles du pissenlit.

À 5 h, l'hémérocalle
Pour ne pas manquer cette belle fleur asiatique, il faut se lever tôt. À 20 h le soir même, elle sera fanée !

À 9 h, le souci
Pas pressé, le souci ! il fait la grasse matinée !

LA LUMIÈRE, ÇA FAIT GRANDIR !

Les plantes ont besoin de plus
ou moins de lumière pour bien
se développer. Le blé, par exemple,
a besoin de 12 à 14 h de lumière
par jour. C'est ce qu'on appelle
une plante de « jour long »,
comme le seigle, l'avoine, etc.
Chez les plantes à fleurs,
c'est la même chose. Aussi
les producteurs peuvent-ils optimiser
leur développement en les éclairant
à la lumière artificielle.

Les **fougères** vivent souvent dans les sous-bois,
dans une obscurité presque totale.
Ce sont des plantes de « jour court »,
comme le maïs, les chrysanthèmes.
De la même façon, si on limite
l'éclairement de ces plantes,
on aide leur
croissance.

Certaines plantes
refusent d'obéir au
Soleil et à son cycle
annuel. Ces rebelles,
comme le **bambou**,
fleurissent, par
exemple, tous
les 30 ou 70 ans.

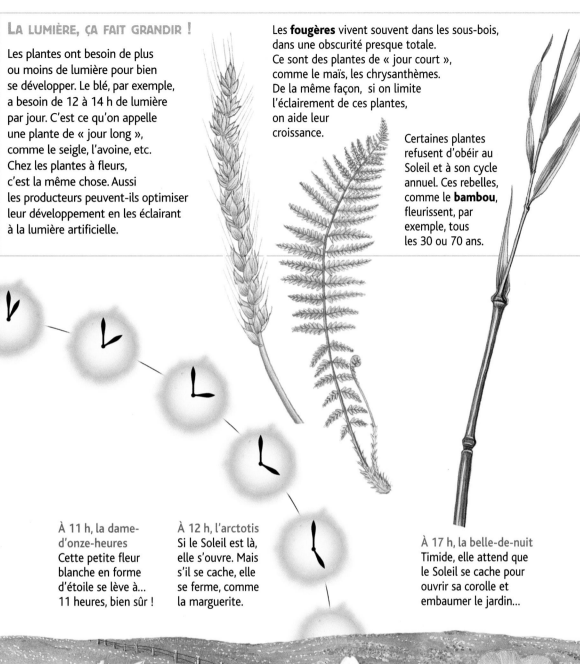

À 11 h, la dame-
d'onze-heures
Cette petite fleur
blanche en forme
d'étoile se lève à...
11 heures, bien sûr !

À 12 h, l'arctotis
Si le Soleil est là,
elle s'ouvre. Mais
s'il se cache, elle
se ferme, comme
la marguerite.

À 17 h, la belle-de-nuit
Timide, elle attend que
le Soleil se cache pour
ouvrir sa corolle et
embaumer le jardin...

Le Soleil, maître des hommes et des animaux

Quand le premier rayon de Soleil touche la Terre, le coq lance son cocorico. Ensuite, les animaux diurnes, qui vivent le jour, se réveillent. Alors que les animaux nocturnes, qui vivent la nuit, rejoignent leur terrier ou une grange tranquille.

7 h : le coucou (*coucou*)

6 h : le rossignol

7 h : le rouge-gorge (*tzik, tzik*)

L'horloge des oiseaux

Connaître l'heure à laquelle chantent les oiseaux est un indice précieux pour l'identification. Attention, les heures données sont approximatives et différent selon les régions !

Aujourd'hui je fais la grasse matinée...

Ben alors ?

CRÉE TON HORLOGE MUSICALE

Sors au lever du Soleil avec un guide d'identification des oiseaux, un magnétophone à piles (équipé d'un bon micro) ou une parabole. Écoute attentivement chaque chant, et note l'heure à laquelle tu l'entends pour la première fois. Comme Linné l'a fait pour les plantes, fais, toi aussi, ton « horloge » personnelle. Note les autres bruits qui reviennent tous les jours à la même heure : le passage d'un avion, le ramassage des poubelles, un voisin matinal, etc.

COT, COT, COT

Les producteurs d'œufs simulent des cycles jour/nuit plus nombreux, grâce à la lumière artificielle, pour que leurs poules pondent davantage !

ET CHEZ L'HOMME ?

Les hommes ont un besoin vital de Soleil : de sa lumière, de sa chaleur, de ses rayons qui font brunir la peau. Pourquoi ? Le Soleil aide à fixer la précieuse vitamine D qui solidifie les os du squelette. Et surtout, il permet au corps de produire (dans une glande située à la base du cerveau, la glande pinéale) une substance spéciale : la mélatonine. C'est elle qui gouverne ce qu'on appelle l'horloge interne. Lorsqu'elle est déréglée, on est malade.

HÉÉÉ ! DEBOUT !

Si l'on vit dans le noir, comme dans une grotte, la glande pinéale continue de rythmer le sommeil et la veille. Après plusieurs mois, il semble que les deux périodes s'allongent.

Le Soleil fait varier la composition chimique du sang, de l'urine... donc influe sur l'effet des médicaments. Les médecins tiennent de plus en plus compte de la longueur du jour pour le traitement des malades.

Parfois, on soigne les gens déprimés ou souffrant de troubles dus au décalage horaire avec un éclairage violent, plusieurs heures par jour. On pense que cela remet d'aplomb leur horloge interne.

LE SOLEIL, UN GUIDE POUR VOYAGER

C'est la diminution de la durée du jour qui décide les oiseaux à partir vers les pays chauds. Le temps de se gaver pendant quelques semaines, et bye-bye ! Des expériences montrent que la plupart des oiseaux migrateurs s'orientent en partie grâce au Soleil.

7 h 30 :
le pinson (*pink*)

8 h : le pic-vert
(*glukglukgluk*)

7 h 30 :
la mésange
charbonnière
(*tzikzidèh*)

8 h : le geai
(*schrrek*)

Les oiseaux chantent surtout au printemps quand ils séduisent une femelle, puis construisent leur nid. Par le chant, le mâle défend son territoire surtout au lever du jour, moment où il y a peu de bruits dans la nature. Il vaut mieux être le premier et être reconnu par les siens !

Le Soleil, maître des saisons

Printemps, été, automne, hiver : les saisons sont présentes sur la Terre entière, mais bien différentes, à cause de l'inclinaison de la Terre vers le Soleil.

Une année avec la Terre et le Soleil

AUX PÔLES

Quand un des pôles est incliné vers le Soleil, il y fait jour pendant 6 mois de l'année. Quand il est tourné dans l'autre sens, la nuit dure 6 mois.

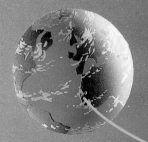

Petite devinette

Un extraterrestre arrive sur Terre et demande :
« C'est comment la vie ici ?
– Simple ! dit un premier homme.
Il fait nuit 6 mois, la plupart des animaux dorment. Puis le jour se lève,
il fait doux. Les animaux sortent, les plantes naissent par millions. Et 6 mois plus tard, la nuit revient.
– Chez moi, dit le deuxième, le jour et la nuit durent 12 heures. Toute l'année, c'est pareil. Juste une petite pluie en fin d'après-midi. Monotone !
– Ça dépend ! dit un troisième. L'été, il fait chaud. En automne, les arbres perdent leurs feuilles. L'hiver, il fait froid. Alors qu'au printemps, il fait beau. Bref, il y a des saisons. »
L'extraterrestre ne comprend rien et repart dans l'espace !
Où habitaient les hommes qu'il a rencontrés ?

À L'ÉQUATEUR

Le Soleil passe à la verticale tous les jours de l'année, à midi. Les jours et les nuits ont la même durée.

Réponse : Le premier habite près du pôle (Nord ou Sud). Le deuxième vit près de l'équateur. Le troisième ça pourrait être toi, si tu vis sous un climat tempéré, où il y a des saisons.

Aux pôles, le Soleil descend, descend... mais ne disparaît pas tout à fait, pendant 6 mois de l'année.

LA COURSE VARIABLE DU SOLEIL

Selon la saison, le Soleil se déplace plus ou moins haut dans le ciel.

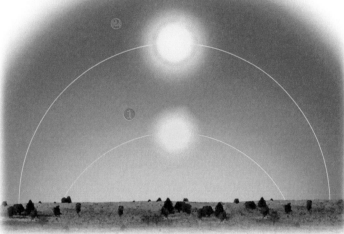

❶ Quand sa course est basse, elle est plus rapide, donc la durée du jour est la plus courte : c'est l'hiver. De plus, comme les rayons solaires arrivent en biais sur le sol, la quantité de chaleur par mètre carré est faible. Il fait donc froid.

❷ Quand il passe haut dans le ciel, ses rayons éclairent plus longtemps la Terre et il fait plus chaud. C'est l'été. Les rayons du Soleil, cette fois, arrivent droit sur le sol, donc ils le réchauffent davantage : il fait chaud.

ENTRE LES DEUX

Plus on se trouve près des pôles, plus la hauteur du Soleil varie au cours des saisons. Les différences entre les saisons sont donc très fortes.

Mesure l'éclairement

1 Éclaire une feuille de papier perpendiculairement avec une lampe de poche. Trace sur la feuille le cercle éclairé.

2 Sans modifier la distance, éclaire la feuille de biais. Dessine l'ovale éclairé.

3 Compare l'éclairement des 2 surfaces éclairées. Plus tu éclaires en biais, plus la lumière sur la feuille devient diffuse, très faible (comme aux pôles). Et plus tu t'approches de la verticale, plus la feuille est éclairée (comme à l'équateur).

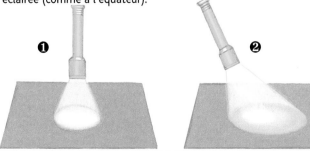

❶   ❷

DICO

Saison : chacune des 4 divisions à peu près égales de l'année.
Climat : ensemble de phénomènes météorologiques (température, pression atmosphérique, vents, précipitations, etc.).

Le Soleil, maître des climats

Ton étoile est si puissante qu'elle remue l'eau et l'air de ta planète en masses énormes sur toute sa surface. Si bien que les climats lui doivent tout, ou presque...

Même Soleil, même climat ?

Puisque l'Alsace et la Normandie sont à la même latitude, leurs saisons doivent être identiques ? Non ! Ce serait trop simple. D'autres éléments compliquent tout : en Normandie, la mer adoucit le climat. Quand il fait froid, sa masse d'eau absorbe l'énergie solaire et réchauffe l'air froid du continent. Les nuages apparaissent, la température est plus douce. Par contre, l'été, l'eau de mer rafraîchit l'air, alors que la terre garde la chaleur qu'elle reçoit. Ce qui fait que l'Alsace reste étouffante quand la Normandie frissonne...

OSLO

STOCKHOLM

COPENHAGUE

AMSTERDAM

BERLIN

LONDRES

DIEPPE

CAEN

PARIS

PRAGUE

STRASBOURG

NANTES

BUDAPEST

MADRID

ROME

RELÈVE LES TEMPÉRATURES

• Pendant un mois, tous les jours à la même heure, note la température ainsi que la position et la force du Soleil, dans ta région.
• En regardant le bulletin météo de la télévision, relève les températures de villes situées sur une même latitude, mais avec des influences différentes, maritimes ou continentales. Par exemple, **Dieppe** et **Prague** ou encore **Nantes** et **Budapest**.

Avec le Soleil, tout bouge !

Ce n'est pas tout ! Le Soleil, grâce à sa fantastique puissance,
fait bouger des montagnes... d'air, les courants aériens, ou...
d'eau, les courants marins. L'eau de mer, par exemple, s'évapore
vite sous la chaleur de l'équateur. Puis l'air chaud marin
redescend vers les tropiques et ces vents bouleversent le climat
des continents. Pour connaître le climat d'un pays, il ne suffit
donc pas de connaître sa latitude ! Il faut regarder sa situation
par rapport aux océans, aux vents, aux montagnes, aux déserts,
etc. Car, à chaque fois qu'il le peut, le Soleil brouille les cartes...

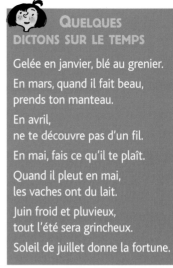

QUELQUES DICTONS SUR LE TEMPS

Gelée en janvier, blé au grenier.

En mars, quand il fait beau,
prends ton manteau.

En avril,
ne te découvre pas d'un fil.

En mai, fais ce qu'il te plaît.

Quand il pleut en mai,
les vaches ont du lait.

Juin froid et pluvieux,
tout l'été sera grincheux.

Soleil de juillet donne la fortune.

Voici la carte des climats.
Elle aurait pu être simple,
juste des bandes parallèles
de l'équateur jusqu'aux pôles...
La réalité est plus nuancée !

- méditerranéen
- aride
- tropical
- de savane
- équatorial
- océanique
- continental
- de montagne
- polaire

Loir gris

Grâce à des satellites lancés loin de la Terre, les effets
du Soleil sont repérés, analysés, et les prédictions
climatologiques sont de plus en plus exactes.

Quelques animaux, comme
la marmotte, le hérisson, le loir,
etc., hibernent. Pendant tout l'hiver, ils vivent
au ralenti : ils mangent très peu et dorment
beaucoup, en restant cachés au fond de terriers
inaccessibles. Ils ne se réveilleront qu'aux
premiers rayons du Soleil...

Le Soleil à travers les âges

Depuis que la Terre existe, son climat a changé de nombreuses fois. Ce sont des cycles climatiques où alternent des périodes chaudes et des périodes froides. Ces cycles suivent les changements de trajectoire de la Terre autour du Soleil.

Les grands cycles

Au cours du dernier million d'années, la Terre a connu quatre périodes glaciaires. Ces périodes dépendent de la position de l'axe de la Terre par rapport au Soleil, c'est-à-dire de son inclinaison (période de 41 000 ans : voir l'encadré) et de son mouvement de rotation (période de 26 000 ans, c'est la précession) ; de plus, ces périodes varient en fonction des changements de forme de l'orbite terrestre. Elle passe en effet régulièrement de la forme d'une ellipse à celle d'un cercle (période de 100 000 ans).

– 11 000 ans
Le Soleil est au plus près de la Terre au solstice d'été.

– 125 000 ans
Période interglaciaire. Le climat est à peu près identique au climat actuel.

– 21 000 ans
Maximum de la glaciation. Période de très grands froids. La calotte polaire descendait jusqu'aux Pays-Bas, les Alpes étaient recouvertes d'un glacier de plusieurs kilomètres d'épaisseur. Température : – 5 °C par rapport à maintenant.

LA PETITE GLACIATION

Entre 1645 et 1715, les astronomes ont remarqué que les taches solaires avaient presque disparu. Le climat est devenu plus froid, la moyenne des températures était de 1 à 2 °C plus basse qu'aujourd'hui.

ENQUÊTE SUR LE PASSÉ

En prélevant de très longs tubes de glace dans l'Arctique, les scientifiques reconstituent l'histoire du climat de la planète. Les éléments et les gaz qu'ils analysent permettent de connaître le climat de la Terre depuis 250 000 ans.

Les petits cycles

Le Soleil, seul, est lui aussi directement responsable des changements climatiques. En effet, contrairement à ce que l'on croit observer, le Soleil ne brille pas toujours de la même façon. Quand les taches solaires sont abondantes, l'activité solaire est importante. Cela se produit tous les 11 ans et on remarque alors un réchauffement (peu important) du climat. Par contre, on a remarqué que l'activité solaire, et donc le climat, change fortement sur une période de 300 ans. Au cours d'une période chaude, au XIIe siècle, les Vikings ont pu, par exemple, coloniser le Groenland et de là atteindre l'Amérique.

Le nombre de taches solaires augmente puis diminue suivant un cycle de 11 ans. On peut les observer par projection (*voir p. 21*).

De – 10 000 ans à – 6 000 ans
Période la plus chaude. Les grandes civilisations apparaissent, l'agriculture se développe. Le Sahara par exemple était verdoyant, habité par une faune variée. Température : + 1 °C par rapport à maintenant.

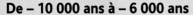

Maintenant
La température du globe diminue progressivement. Le maximum de la prochaine période glaciaire aura lieu dans plusieurs milliers d'années.

L'INCLINAISON DE LA TERRE

L'axe de la Terre est incliné. Cette inclinaison varie régulièrement de 21,60° à 24,60°. Au maximum, les saisons sont très marquées : étés très chauds, hivers très froids. Entre deux maxima, il s'écoule 41 000 ans.

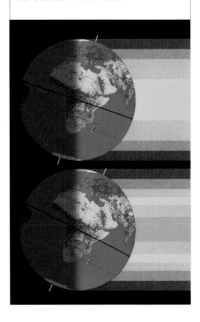

DANS QUEL CLIMAT, DEMAIN ?

D'un côté, il y a l'effet de serre dû à l'accumulation de gaz (comme le dioxyde de carbone). Il empêche la Terre de renvoyer vers l'espace les rayons infrarouges du Soleil. Alors ça chauffe trop ! De l'autre, on attend un petit âge glaciaire d'ici 50 ans. Même si ça refroidit, le climat restera le même... avec un peu de chance !

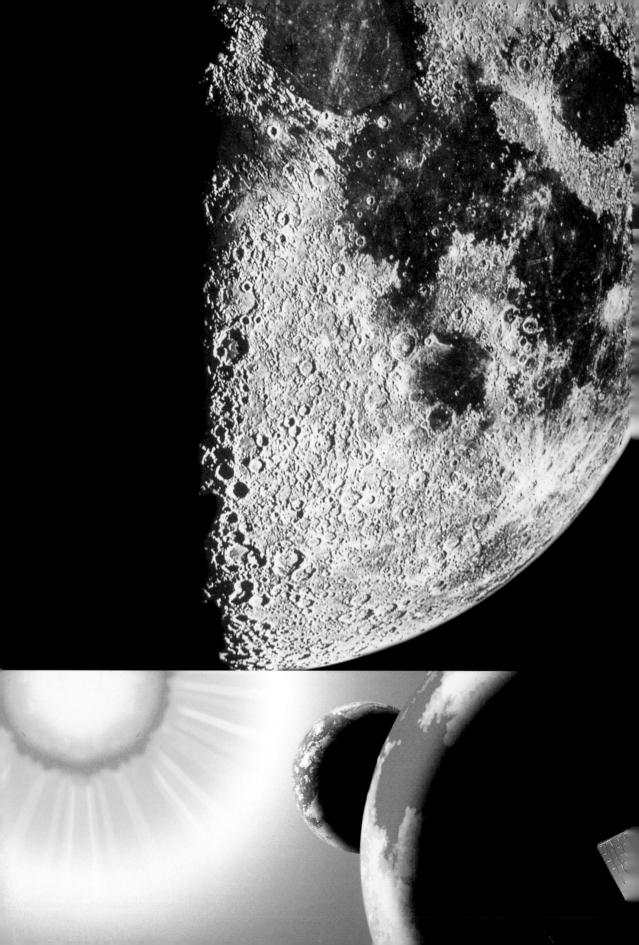

LA LUNE,
VOISINE DE LA TERRE

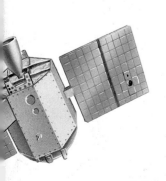

Comme toi, tes ancêtres l'ont vue tourner, rougir, illuminer la nuit ou disparaître sous leurs yeux. Des hommes en ont fait une déesse, d'autres sont allés lui rendre visite. Qu'importe ! si tu lèves les yeux, la Lune sera toujours là pour te faire rêver...

Tu as rendez-vous avec la Lune !

Observe souvent la Lune, à l'œil nu ou avec des jumelles. Elle est très éblouissante quand le Soleil l'éclaire, sur toute sa surface, mais cela est sans danger. Au fil des nuits, tu iras de surprise en surprise : tu verras qu'elle se promène, change de forme ou de couleur et qu'elle peut même se cacher... Quelle farceuse !

La Lune est le satellite de la Terre

La Lune est le corps céleste qui tourne autour de la Terre, c'est son satellite. Le chemin (l'orbite) que suit la Lune a la forme d'un cercle un peu aplati, appelé ellipse. Quand la Lune tourne, elle est donc plus ou moins près de la Terre, à une distance moyenne de 384 400 km (cela représente environ 9 fois le tour de la Terre), avec un minimum de 356 400 km et un maximum de 406 700 km. Ce n'est pas la porte à côté, d'accord ! Les hommes ont mis 4 jours pour l'atteindre, mais on peut tout de même l'appeler « voisine », car la planète la plus proche de la Terre, Vénus, est plus de 100 fois plus éloignée !

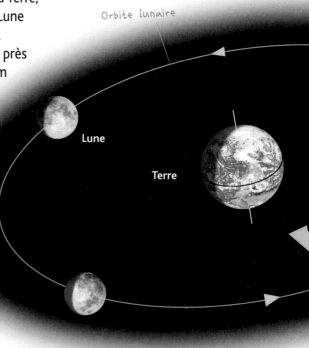

Orbite lunaire

Lune

Terre

SATELLITE

Ce mot vient du latin et signifie « garde du corps ». Un satellite est un corps céleste qui « garde » une planète en gravitant autour d'elle.

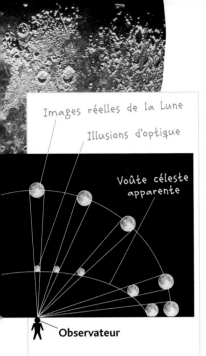

Images réelles de la Lune

Illusions d'optique

Voûte céleste apparente

Observateur

ILLUSION D'OPTIQUE

Tu as sans doute déjà eu l'impression que la Lune était plus grosse à l'horizon qu'au zénith. Eh bien, tu as tort, c'est une illusion d'optique ! La preuve : regarde la Lune à travers un tube en carton, elle reprend sa taille habituelle ! Cela vient du fait qu'on imagine la voûte céleste aplatie.

Joue à faire la Lune

Il faut être deux. L'un fait la Terre et est assis sur un tabouret. L'autre fait la Lune et reste debout, bras écartés, à deux pas du premier.

1 Celui qui est la Terre tourne sur son tabouret.

2 Pendant ce temps, celui qui est la Lune se déplace pour rester toujours en face de la Terre. Il va donc parcourir un cercle sur le sol.

La Lune fait la coquette !

La Lune est une sacrée coquine ! Comme elle ne veut pas laisser voir tous ses charmes, elle a trouvé un bon moyen : elle suit la Terre dans ses mouvements. Pour cela, elle tourne sur elle-même (c'est sa rotation) et se déplace autour de la Terre (c'est sa révolution) exactement en même temps. Résultat : tu vois toujours le même côté de la Lune. Celui que tu ne vois pas s'appelle la face cachée.

Rayons du Soleil

Mesure la distance Terre-Lune

Une nuit de pleine Lune, essaye de la masquer avec une pièce que tu tiens à bout de bras. Quelle pièce te faut-il ? 2 €, 1 €, 20 centimes, ou encore moins ?

1 Mesure le diamètre de ta pièce, que l'on appelle **X**, puis la distance entre ta pièce et ton œil : c'est **Y**.

2 Divise **Y** par **X**, et multiplie le nombre obtenu par le diamètre de la Lune, qui est 3 476 km.

Tu as trouvé le bon résultat, ou un nombre proche ? Bravo !

- Calculette
- Mètre ruban
- Double décimètre
- Pièces de monnaie

Croissant ou
nouvelle Lune

Quelques
jours
après
le premier
quartier

Les phases de la Lune

Le Soleil éclaire la Lune. Comme sa position change petit à petit par rapport au Soleil, la partie éclairée de la Lune, vue de la Terre, change de forme elle aussi, si bien qu'elle se rétrécit ou s'arrondit, nuit après nuit. Ce sont les phases de la Lune. Donc ce n'est pas la Lune qui change de forme, mais toi qui ne la vois pas de la même façon.

ESPIONNE LA LUNE

Pour la suivre, tu vas devoir ruser ! Par exemple, en suivant ses déplacements par rapport à un objet fixe : une cheminée, une antenne télé, etc.

Il te faudra attendre 29 jours et 13 h pour revoir la Lune à la même place exactement et avec la même forme, toute ronde (on dit pleine). Et si tu relèves l'heure précise chaque jour, tu observeras qu'elle est en retard d'environ 50 min par rapport au jour précédent.

RETROUVE LES PHASES DE LA LUNE

Sur beaucoup de calendriers, d'agendas et sur tous les almanachs, les phases de la Lune sont indiquées. Encore faut-il savoir les lire ! Elles sont représentées par de petits symboles :

- un rond noir pour la nouvelle Lune (quand on ne la voit pas) ;

- une face souriante pour la pleine Lune (quand on la voit entière) ;

- un croissant pour le premier quartier ;

- un croissant dans l'autre sens pour le dernier quartier.

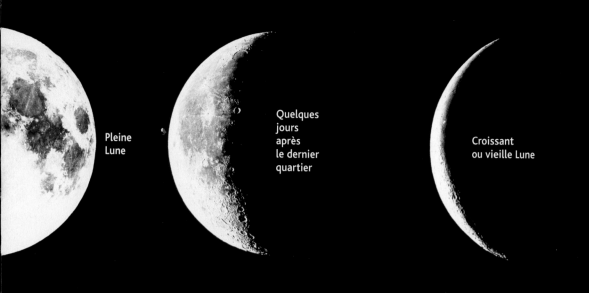

Pleine Lune

Quelques jours après le dernier quartier

Croissant ou vieille Lune

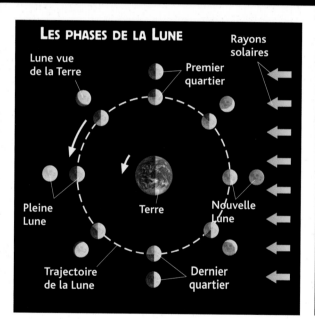

LES PHASES DE LA LUNE

Rayons solaires

Lune vue de la Terre

Premier quartier

Pleine Lune

Terre

Nouvelle Lune

Trajectoire de la Lune

Dernier quartier

PETIT TRUC POUR PRÉVOIR LES PHASES DE LA LUNE

Au premier quartier, tu peux dessiner un **p** (comme premier) en ajoutant une barre vers le bas, sur le côté de la Lune.

Et au dernier quartier, tu peux dessiner un **d** (comme dernier) en ajoutant une barre vers le haut.

La Lune est... lunatique !

La Terre fait un tour sur elle-même en 24 h. La Lune met plus longtemps pour faire le tour de la Terre : il lui faut 27 jours et 8 h ! C'est ce qu'on appelle le mois sidéral. Mais comme la Terre se déplace par rapport au Soleil, la Lune doit parcourir encore plus de chemin pour retrouver la même place entre ces deux géants. Il lui faut 29 jours et 13 h, c'est le mois synodique (qui signifie « de rencontre ») ou mois lunaire.

ELLE EST DRÔLEMENT EN RETARD, LA LUNE !

La Lune se cache !

Deux fois par an environ, une nuit où la Lune est toute
ronde et blanche, elle change de couleur, rougit jusqu'à
devenir brune, de plus en plus foncée. La raison ?
La Terre fait de l'ombre à la Lune, en s'interposant
entre le Soleil et la Lune. On appelle ce phénomène
spectaculaire une éclipse de Lune. Comme l'ombre
que fait la Terre dans l'espace est cinq fois plus grosse
que le disque lunaire, cette éclipse est visible partout.
La Lune reste alors cachée plus d'une heure
alors qu'une éclipse de Soleil ne dure
jamais plus de quelques minutes !

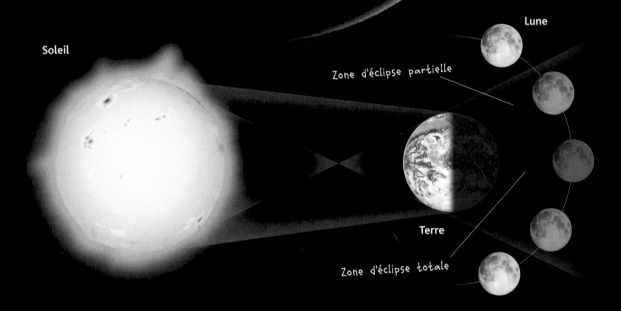

Soleil

Lune

Zone d'éclipse partielle

Terre

Zone d'éclipse totale

UN PEU OU TOUT ENTIÈRE ?

Lorsque la Lune traverse l'ombre de la Terre,
l'éclipse est totale, mais si la Lune traverse
une zone encore un peu éclairée par le Soleil,
l'éclipse est partielle. La Lune garde alors
une belle couleur claire. Pourtant les couleurs
que prend la Lune, dans l'un ou l'autre cas,
ne viennent pas du satellite lui-même, mais
de l'atmosphère de la Terre. C'est elle qui dévie
les rayons du Soleil et modifie leur couleur.

Éclipse partielle

Éclipse totale

Les éclipses, encore appelées « lunes de sang », ont toujours beaucoup impressionné les hommes. Elles ont permis de dater précisément des événements historiques importants. Comme, par exemple, le vendredi 3 avril 33, jour de la crucifixion du Christ.

Sur cette image, la Lune a été photographiée à intervalles réguliers pendant toute la durée de l'éclipse, c'est-à-dire plusieurs heures.

LA RUSE DE COLOMB

Quelques siècles avant Tintin (voir dans le chapitre Soleil : *Tintin et le Temple du Soleil*), l'explorateur Christophe Colomb avait déjà eu une idée identique. Comme les Indiens lui refusaient des vivres pour son équipage, Colomb leur annonça (après avoir consulté ses tables d'astronomie !) qu'il allait éteindre la lumière de la Lune, en représailles. La nuit suivante, les Indiens, terrorisés devant la disparition de la Lune, cédèrent à Colomb et celui-ci, bon prince, ralluma la Lune !

Photographie une éclipse

1 Cale bien ton appareil contre un mur ou avec un pied.

2 Prends plusieurs clichés en variant le temps de pose, au fur et à mesure du déroulement de l'éclipse. Avec une ouverture de F 11, il passe de 1/250 de seconde (avant l'éclipse) à 30 secondes quand l'éclipse est totale.

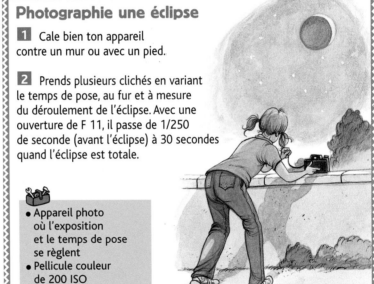

- Appareil photo où l'exposition et le temps de pose se règlent
- Pellicule couleur de 200 ISO

METS UNE NOTE AUX ÉCLIPSES

Grâce à l'échelle établie par l'astronome A. Danjon en 1921 (après avoir réuni des observations commencées en 1583), note les éclipses de 0 à 4.

0	Lune très sombre : elle est invisible ou presque, toute la durée de l'éclipse. Pas de couleurs.
1	Lune sombre, grise ou brune, surface peu visible.
2	Lune rouge foncé, parties centrales de l'ombre très sombres, contours plus clairs.
3	Lune rouge brique, contours assez clairs, gris ou jaunes.
4	Lune brillante, orangée, contours bleutés ou verdâtres, reliefs de la surface visibles dans l'ombre.

La Lune donne la vie !

Quand la Lune illumine la nuit, sa tendre lumière bleutée te donne parfois envie d'écrire des poèmes... mais toi, comme tous les êtres vivants de la planète Terre, tu lui dois beaucoup plus qu'une douce rêverie, tu lui dois tout, c'est-à-dire la vie, rien de moins ! Merci la Lune !

La Lune stabilise la Terre

En tournant autour de la Terre, la Lune lui sert de stabilisateur : elle ralentit ses mouvements de balancement et l'aide à tourner régulièrement sans trop se laisser influencer par les autres corps célestes. Alors le couple Terre-Lune est comme un couple de danseurs : l'un suit l'autre, en tournant dans l'espace le temps d'une valse infinie... Les planètes sœurs de la Terre, Mars et Vénus, n'ont pas eu cette chance ! Conséquence : leur climat rend toute vie impossible !

Qui mène la danse ? Lui ? Pas sûr !

Fabrique une toupie

En fabriquant cette toupie, qui représente la Terre tournant sur son axe autour du Soleil, tu vas comprendre comment la Lune aide la Terre.

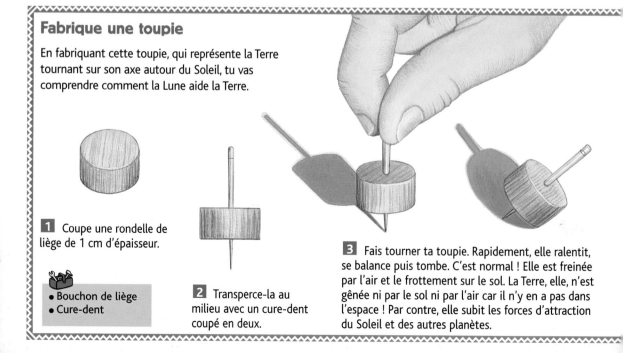

1 Coupe une rondelle de liège de 1 cm d'épaisseur.

- Bouchon de liège
- Cure-dent

2 Transperce-la au milieu avec un cure-dent coupé en deux.

3 Fais tourner ta toupie. Rapidement, elle ralentit, se balance puis tombe. C'est normal ! Elle est freinée par l'air et le frottement sur le sol. La Terre, elle, n'est gênée ni par le sol ni par l'air car il n'y en a pas dans l'espace ! Par contre, elle subit les forces d'attraction du Soleil et des autres planètes.

Le lanceur de marteau

Si ce lanceur de marteau – un peu comme la Terre – garde son équilibre en tournant comme une toupie, c'est grâce au poids du marteau – qui représente la Lune.
Mais quand le lanceur l'aura lâché, il aura besoin de toute sa force musculaire pour retrouver son équilibre.

Les animaux et la Lune

Certains animaux sont sensibles à cette attraction de la Lune. Une espèce d'huître, par exemple, suit la position de la Lune. Si on la déplace à l'autre bout de la planète, elle règle son heure d'ouverture sur la Lune de son nouveau domicile. Un poisson californien, le grunion, ne sort qu'à la pleine Lune pour pondre ses œufs dans le sable, tandis que des millions de vers marins ne s'accouplent que lors du premier quartier de Lune. Romantique, non ?

Certains pensent que la Lune favorise ou gêne la croissance des plantes. Mais rien n'est prouvé ! Il semble même que suivre la Lune soit mauvais pour le jardin, car on néglige alors la température, la météorologie, l'état de la terre, etc.

4 Si tu observes la toupie du dessus, tu vois son axe (le cure-dent) faire des cercles de plus en plus grands. Ce mouvement de l'axe s'appelle la précession. Quand la Terre penche son axe vers le Soleil, d'un côté ou de l'autre, cela change son climat. Si ces mouvements avaient été amples et fréquents, les variations de climat auraient été brutales et importantes. La vie n'aurait sans doute pas pu se développer !

Mais heureusement la Lune est là ! La Terre ne se balance presque plus, le Soleil caresse doucement le sol de la Terre : les variations de climat sont modérées. La Terre est accueillante.

La Lune, mère des marées

La Terre et la Lune sont inséparables, elles s'attirent l'une l'autre si fort que les océans de la Terre entière se lèvent vers la Lune... Attention, voici les marées !

La marée, comment ça marche ?

L'eau de la planète bouge en permanence. Alors comme la Lune est proche de la Terre, elle attire l'eau des océans, qui monte, monte... Si bien qu'au milieu des mers, le niveau de l'eau s'élève tellement que les vagues n'arrivent plus aussi près des rivages : ce sont les marées descendantes. Et puis, splatch ! l'eau retombe et revient au galop vers les plages... ce sont les marées montantes.

Dans la baie du Mont-Saint-Michel, la mer se retire parfois très loin, jusqu'à 12 km au large, car le relief est très plat.

En Bretagne, l'usine marémotrice de la Rance utilise l'énergie des marées. Cela est possible car la différence de hauteur entre la marée haute et la marée basse est importante. On fait passer l'eau dans des turbines : en tournant, elles produisent l'électricité.

À marée haute, la mer remonte très vite, à la vitesse d'un cheval au galop, dit-on ! C'est sans doute exagéré, mais ces marées sont les plus importantes d'Europe.

LA LUNE S'EN VA !

Sous l'effet des marées, la Lune ralentit la rotation de la Terre. Cela provoque un éloignement progressif de la Lune, de 4 cm par an !

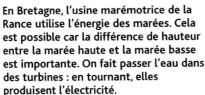

Fabrique une marée

1 Remplis le ballon d'eau (c'est la Terre), fais un nœud pour le fermer et attache une ficelle.

2 Dessine sur un côté le contour d'un océan.

4 Tire la ficelle d'un coup sec. Le ballon se déforme du côté où tu tires, mais aussi du côté opposé.

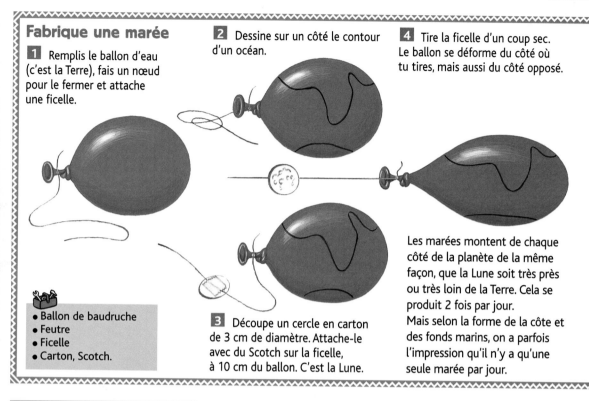

Les marées montent de chaque côté de la planète de la même façon, que la Lune soit très près ou très loin de la Terre. Cela se produit 2 fois par jour.
Mais selon la forme de la côte et des fonds marins, on a parfois l'impression qu'il n'y a qu'une seule marée par jour.

- Ballon de baudruche
- Feutre
- Ficelle
- Carton, Scotch.

3 Découpe un cercle en carton de 3 cm de diamètre. Attache-le avec du Scotch sur la ficelle, à 10 cm du ballon. C'est la Lune.

L'HORAIRE DES MARÉES

Grâce à ce tableau (facile à trouver dans les villes proches de la mer), tu vas vérifier des informations sur la Lune.

Chaque jour, il y a un chiffre qui varie de 20 à 120 : c'est le coefficient des marées. Il est calculé d'après les positions de la Lune et la forme de la côte. Les grandes marées sont proches de 120 et correspondent aux périodes où la Lune est nouvelle.

Chaque jour, l'horaire de la pleine mer se décale de 50 min, retard que prend la Lune d'un jour à l'autre pour revenir à la même place dans le ciel.

L'écart entre 2 marées (hautes ou basses) est d'environ 12 h : temps que la Terre met pour faire un demi-tour.

Nouvelle Lune : quand le Soleil et la Lune s'unissent pour tirer sur les océans, ce sont les grandes marées, appelées vives-eaux.

Premier quartier : le Soleil et la Lune tirent sur des axes opposés. Les marées sont faibles, ce sont les mortes-eaux.

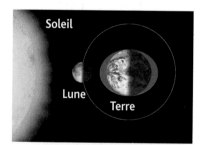

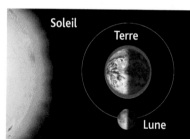

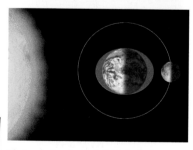

Pleine lune : le Soleil et la Lune tirent de chaque côté de la Terre, sur le même axe, mais dans la direction opposée. Là aussi, c'est une grande marée.

Dernier quartier : chacun tire de son côté. La marée est faible.

Destination Lune

Grâce à tes yeux seuls, tu verras déjà beaucoup de choses. Mais en suivant ces conseils, tes observations seront encore meilleures si tu sais choisir ton matériel, ton lieu d'observation, etc.

Quand ?

C'est la nuit que la Lune, éclairée par le Soleil, est la plus visible. Si le ciel est très noir, elle est même parfois trop éblouissante. Il vaut mieux alors l'observer au début de la soirée.

Invite des copains à une soirée Lune, et essayez de trouver les reliefs indiqués sur la carte.

Où ?

Un endroit dégagé, même petit, convient très bien. Il suffit que tu puisses suivre le déplacement de la Lune. L'hiver, c'est même possible de l'observer derrière une fenêtre (avec des vitres très propres !). Tu peux alors t'asseoir, au chaud, les jumelles bien calées contre le bord de la fenêtre ou sur un meuble.

Par quel temps ?

Un temps clair est préférable à un temps nuageux. Mais sois patient car un temps couvert en début de soirée peut se dégager rapidement. En effet, les nuages nocturnes sont souvent poussés par un vent d'altitude que tu ne peux pas sentir. Donc, surveille bien l'état du ciel. Et comme pour toute observation, il vaut mieux un temps sec et froid : l'humidité ou la chaleur de l'atmosphère terrestre perturbent la visibilité.

- Jumelles
- Carte de la Lune
- Lampe de poche équipée d'une ampoule rouge

À quelle phase ?

Le meilleur moment n'est pas, comme on pourrait le croire,
lorsque la Lune est pleine, car la lumière solaire est si forte
sur tout le sol qu'il n'y a pas d'ombres, donc pas de reliefs.
Tous les autres moments sont préférables.
Examine surtout la ligne qui sépare la partie éclairée
de la partie sombre. On l'appelle « le terminateur ».
Le long de cette bande, les reliefs sont impressionnants.

Le terminateur

Pendant combien de temps ?

L'idéal est de suivre un cycle lunaire
entier, car pendant 29 jours, tout au
long de ses phases, la Lune te présente
des paysages différents. Ils sont dus
à la diversité de ses reliefs et à l'influence
de la lumière du Soleil sur le sol.

LES PAYSAGES LUNAIRES

Entre la nouvelle Lune et le premier quartier, entre le 2e et le 7e jour, les mers apparaissent : la mer des Crises (❶), de la Fécondité (❷), de la Tranquillité (❸), de la Sérénité (❹).

Entre le premier quartier et le début de la pleine Lune, entre le 8e et le 12e jour, la Lune s'appelle la Lune gibbeuse croissante. Il y a beaucoup de choses à voir surtout le long du terminateur. La chaîne des Apennins (❶), à l'ouest de la mer de la Sérénité (❷), et de nombreux cratères : Platon (❸), Tycho (❹)...

Jusqu'à la pleine lune et après, entre le 13e et le 16e jour, on peut voir les cratères Kepler (❶) et Aristarque (❷), et la mer des Humeurs (❸), au sud. Les raies de Tycho (❹) sont très brillantes.

Entre le 16e et le 28e jour, la lumière du Soleil vient de l'autre côté et éclaire de nouveau le sol lunaire, sous un autre angle. Le spectacle est différent mais tout aussi beau.

La carte de la Lune

En réunissant tes observations faites à l'œil nu ou aux jumelles, tu devrais pouvoir établir une carte de la Lune. Ce dessin montre des détails que tu as peut-être réussi à voir.

LES MONTAGNES

Une chaîne de montagnes est visible sur le terminateur juste après le premier quartier : **les Apennins** (1). Elle projette une ombre de plus de 150 km !

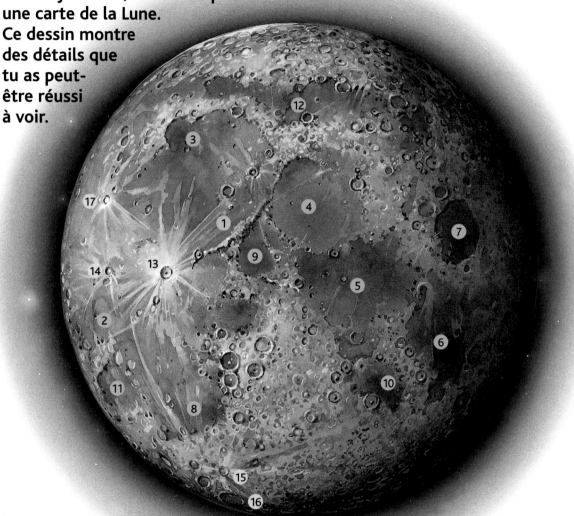

LES MERS

Ces mers ne contiennent pas d'eau, mais sont formées de roche noire volcanique, le basalte. C'est lui qui a rempli, sous forme de lave, des cavités formées par d'anciens cratères.

Océan des Tempêtes (2), mers des Pluies (3), de la Sérénité (4), de la Tranquillité (5), de la Fécondité (6), des Crises (7), des Nuages (8), des Vapeurs (9), du Nectar (10), des Humeurs (11), du Froid (12).

LES CRATÈRES

De forme ronde, avec ou sans piton central visible, ils sont nombreux à la surface de la Lune. De toutes les tailles, de quelques dizaines de mètres à plusieurs centaines de kilomètres de diamètre, ils sont tous le résultat d'impacts de météorites.

Cratères Copernic (13), Kepler (14), Tycho (15), Clavius (16), Aristarque (17).

Différentes formes

Voici quelques formes que tu pourras retrouver assez facilement lors de la pleine Lune.

Dame sur la Lune

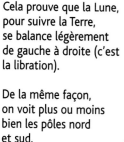

Monsieur sur la Lune

Lapin

Crabe

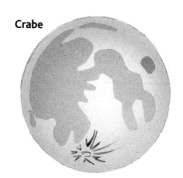

Observe en dessinant

Reproduis sur une grande feuille de papier la forme générale de la Lune : quartier, demi-sphère, etc. Puis les larges zones grises, les traits brillants, les cercles. Ton dessin deviendra, au fil de tes observations et avec de l'entraînement, de plus en plus précis.

Dessine la Lune plusieurs fois de suite. Du côté est, repère la mer des Crises. Sa forme passera d'un ovale assez large (image 1) à une mince ligne sombre (image 2), s'élargira de nouveau (image 1), et ainsi de suite tout au long des phases de la Lune.

Cela prouve que la Lune, pour suivre la Terre, se balance légèrement de gauche à droite (c'est la libration).

De la même façon, on voit plus ou moins bien les pôles nord et sud.

Donc la Lune montre un peu plus de la moitié de sa surface : environ 59 % !

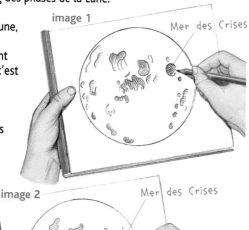

image 1

Mer des Crises

image 2

Mer des Crises

LA LUMIÈRE CENDRÉE

Parfois la Terre brille si fort qu'elle réussit à éclairer la partie de la Lune qui devrait rester sombre. Toute la Lune est alors visible et seul un croissant est fortement éclairé. Ce phénomène assez rare s'appelle la lumière cendrée. Elle se voit bien quand la Lune est jeune, c'est-à-dire entre 2 et 5 jours après la nouvelle Lune.

La Lune, un passé agité

Il y a 4,5 milliards d'années, la Terre, tout juste née, n'est pas encore solidifiée. De nombreux corps célestes vagabondent en tous sens dans le système solaire et les collisions sont fréquentes. C'est l'une d'elles qui donne naissance à la Lune.

Une arrivée brutale ! Venant de l'espace, une planète de la taille de la planète Mars percute violemment la Terre au point de se désintégrer sous la violence du choc.

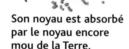

Le reste de sa matière est éjecté et tourne autour de la Terre.

Son noyau est absorbé par le noyau encore mou de la Terre.

Une enfance avec des plaies et des bosses

Pendant 1,5 milliard d'années, se succèdent éruptions volcaniques et bombardements de météorites. La preuve ? La surface de la Lune est pleine de cicatrices qui ressemblent à des vallées, des montagnes, des canyons, des plissements...

LA FACE CACHÉE DE LA LUNE

En 1994, la sonde américaine *Clementine* a photographié la face cachée de la Lune. Là, surprise ! on a découvert le plus grand cratère d'impact connu de tout le système solaire : 2 500 km de diamètre et 12 km de profondeur ! On n'ose pas imaginer la taille de la météorite responsable de ce cratère ! Et sur toute cette face cachée, il y a beaucoup plus de traces de météorites, mais pas de mers.

Reconstitue un piton lunaire

1 Prépare du plâtre très épais en suivant la notice du paquet.

2 Fais tomber la bille au milieu du bol.

3 La bille tombe au fond et, dans sa chute, fait remonter un peu de plâtre. Cela forme un piton au centre du bol.

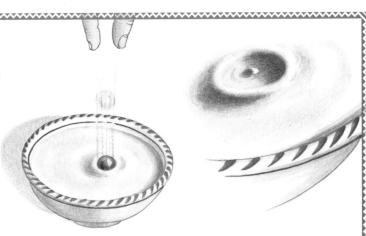

- Bol en plastique
- Plâtre
- Bille métallique

C'est le même phénomène qui se produit lorsqu'une météorite vient frapper la surface lunaire. De multiples cratères lunaires ont donc un piton central encore visible. Ceux qui n'en possèdent pas sont plus anciens.

En se collant les uns aux autres, ces morceaux de planète donnent naissance à la Lune. Ensuite, les éléments les plus lourds forment le manteau de la Lune et les plus légers forment la croûte, qui se cristallise très vite.

Mais, depuis 3 milliards d'années, c'est plus calme. La Lune semble morte. Sa surface ne reçoit plus que quelques météorites, de-ci de-là…

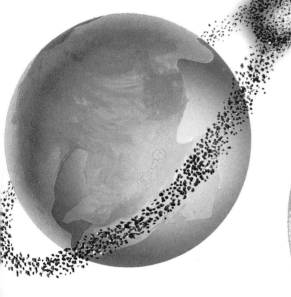

LA LUNE TREMBLE

Les tremblements de Lune ont deux origines : les météorites qui tombent brutalement sur le sol lunaire (car il n'y a pas d'atmosphère sur la Lune pour les amortir) et l'activité sismique (faible : 2 sur l'échelle de Richter) qui occasionne environ 1 000 tremblements de Lune par an, dus à l'attraction de la Terre.

Prêt pour l'alunissage ?

Quand les hommes sont partis vers la Lune, ils n'allaient pas vraiment dans l'inconnu... Les astronomes savaient déjà qu'ils allaient rencontrer un environnement hostile, très différent de celui de la Terre.

Sur le sol lunaire

Première impression étrange sur la Lune, tu rebondis. À peine posé, te voilà déjà en l'air... Pourquoi ? Sur la Lune, tu pèses 6 fois moins lourd que sur la Terre. Fais le calcul : au lieu de peser 36 kg, tu n'en pèses plus que 6 ! Alors enfile des chaussures de plomb et observe le sol. Quelques rochers, des cailloux et surtout plusieurs mètres d'épaisseur de poussières, restes des nombreuses chutes de météorites. Et de l'eau ? Pas de lacs, pas de rivières, ni de plantes en vue. Mais il y en a sous forme de glace, tout au fond des cratères des pôles sud et nord, là où le Soleil ne réchauffe jamais le sol.

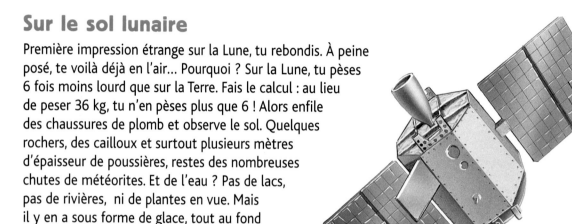

Grâce à des cartes topographiques réalisées en fausses couleurs par la sonde *Clementine*, on a beaucoup appris sur la géologie de la Lune. Sur la face visible, les mers basaltiques apparaissent en bleu, et sur la face cachée, l'immense cratère en rose.

Quel temps fait-il ?

Ni nuages, ni vent, ni ciel bleu mais un ciel noir d'où tombent des poussières de météorites à la vitesse de 10 km/s (30 fois la vitesse d'un avion supersonique). Et les températures sont complètement folles : + 117 °C au milieu de la pleine Lune (côté Soleil) et − 173 °C (côté ombre) au milieu de la nouvelle Lune ! Cela est dû à l'absence de la couche protectrice de l'atmosphère et au fait que le sol, très poussiéreux, ne garde pas la chaleur du Soleil. Et il y a encore pire : les rayons dangereux du Soleil (rayons X, ultraviolets, etc.) réussissent à atteindre le sol lunaire...

Pèse des objets sur la Lune

1 Pèse l'assiette ordinaire et note son poids.

2 Mets sur la balance des assiettes jetables les unes après les autres jusqu'à obtenir le même poids. Garde sur ta main, seulement 1/6 de ces assiettes.

Si tu étais sur la Lune, l'assiette de départ pèserait 6 fois moins lourd que sur la Terre, c'est-à-dire autant que ces quelques assiettes en carton.

- Balance
- Assiette ordinaire
- Assiettes jetables de même dimension

Les astronautes ont eu la chance d'assister chaque jour à ce spectacle magnifique : la Terre éclairée par la lumière du Soleil qui semble la faire sortir du vide !

NEWTON DÉCOUVRE LA GRAVITATION

Un jour, assis sous un pommier, Newton, un physicien anglais du XVIIe siècle, essayait de comprendre pourquoi la Lune restait près de la Terre. La légende dit qu'en regardant tomber une pomme, il comprit que ces deux phénomènes s'expliquaient par la gravitation, la force d'attraction exercée sur ces deux corps (la Lune ou la pomme) par la masse de la Terre. C'est cette force qui fait tomber la pomme sur la Terre et maintient la Lune autour de la Terre. Il ne lui restait plus qu'à formuler mathématiquement cette loi, appelée loi de la gravitation universelle.

L'exploration de la Lune

Aller sur la Lune ? Pas si simple ! Que ce soit avec des robots ou des hommes, des années de préparation ont été nécessaires.

L'exploration américaine

De 1961 à 1965, les Américains envoyèrent 9 sondes vers la Lune (programme *Ranger*). Seulement 3 réussirent à transmettre des photos pour préparer les autres explorations. Puis les missions suivantes (*Surveyor*, *Lunar Orbiter*) se posèrent sur la Lune pour choisir le site du futur alunissage des humains. Ce qui était le but du programme *Apollo*.

L'exploration russe

En 1959, avec *Luna 1*, les Russes frôlent la Lune à 6 500 km. *Luna 2* s'est écrasé sur le sol lunaire, *Luna 3* a pris quelques photos et *Luna 9* a réussi à se poser sur la Lune en février 1966. La même année, ils mettent sur orbite le premier satellite artificiel de la Lune, *Luna 10*. Contrairement aux Américains, les Russes n'ont pas envoyé d'hommes mais ont préféré envoyer des robots radiocommandés capables, par exemple, de rapporter des échantillons.

ENFIN LE PREMIER PAS SUR LA LUNE !

Le 21 juillet 1969, la mission *Apollo 11* atteint la Lune. Deux hommes descendent sur le sol : Neil Armstrong et Buzz Aldrin. Pendant ce temps, Michael Collins reste dans le module de commande. Il tourne en orbite autour de la Lune, comme un satellite autour de la Terre, profitant de la force d'attraction de la Lune. Il fera une vingtaine de tours. Les astronautes ramassent 35 kg de roches, font des photos et, 2 h 21 min plus tard, ils retournent dans la capsule. Cinq autres missions suivirent. Elles déposèrent de nombreux instruments scientifiques : sismographes, réflecteurs laser, etc. La dernière eut lieu en décembre 1972.

« Allô, Houston, ici la base de la Tranquillité, Eagle s'est posé. » Tels furent les mots de Neil Armstrong le 21 juillet 1969 lorsque le module lunaire Eagle, le LEM (LEM : initiales en anglais de *Lunar Exploration Module*), touchait la Lune.

« Un petit pas pour moi, un pas de géant pour l'humanité. » Ce sont les paroles historiques prononcées par Neil Armstrong, le premier homme sur la Lune.

ACTION, RÉACTION

Dans une fusée spatiale, c'est un carburant très puissant qui brûle en dégageant de grandes quantités de gaz. Ces gaz appuient sur la fusée si fort (action) qu'elle est propulsée vers l'avant (réaction).

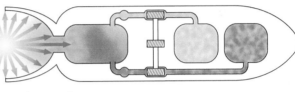

Fabrique une fusée

1 Coupe le bouchon de liège en deux. Perce-le pour y mettre l'embout de chambre à air.

3 Fais une rampe de lancement en plantant dans le sol les 5 tuteurs en cercle, reliés par le fil de fer.

- Bouteille en plastique de 1,50 l
- Gros bouchon de liège
- Embout de chambre à air (demande à un réparateur de vélos)
- Pompe à vélo
- 5 tuteurs
- Fil de fer

2 Remplis la bouteille d'eau jusqu'à la moitié.

4 Mets le bouchon sur la bouteille, pose la bouteille sur la rampe. Visse le raccord de la pompe à vélo, et pompe...

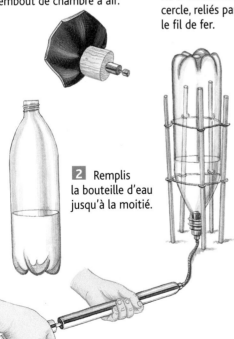

5, 4, 3, 2, 1, 0... Partez ! L'air de la bouteille se comprime peu à peu, puis appuie sur l'eau, les parois et le bouchon, qui saute. L'eau s'échappe alors si fort que la bouteille décolle dans l'autre sens, par réaction.

La Lune, terre de science ?

Pour étudier la Lune, il faudrait y installer une base scientifique. Ce relais permettrait de faire des découvertes extraordinaires sur l'espace...

Les projets

La Lune est abandonnée depuis 1972. Un quart de siècle plus tard, les hommes pensent de nouveau y aller. Les grandes agences spatiales du monde (NASA, ESA...) acceptent de n'y faire que des recherches scientifiques. La face cachée permettrait, par exemple, de faire de la radioastronomie, de plus en plus difficile à mettre en œuvre sur la Terre. Des télescopes sur la Lune seraient le bonheur pour les astronomes : pas de pollution atmosphérique ou lumineuse ! Les images seraient de la qualité de celles du télescope de l'espace *Hubble*.

JUSQU'EN 1972

Lors des expéditions passées, les Américains et les Soviétiques ont déposé du matériel scientifique en différents points du sol lunaire.

Des **réflecteurs laser** orientés vers la Terre permettent de mesurer la distance Terre/Lune (à 20 cm près !), l'orbite lunaire, la vitesse de rotation de la Terre, etc.

Des **sismographes** enregistrent la moindre vibration du sol pour déduire la composition et l'épaisseur des couches géologiques.

La base lunaire

La future base lunaire serait enterrée pour être protégée des chutes de météorites, des écarts de température, des rayonnements et de l'absence de pression. Elle serait construite avec du béton préfabriqué à partir de matériaux lunaires. Les missions *Apollo* ont permis de vérifier, grâce à des échantillons, que cela était possible. Pour l'énergie, des piles atomiques seraient plus pratiques que d'énormes panneaux solaires.

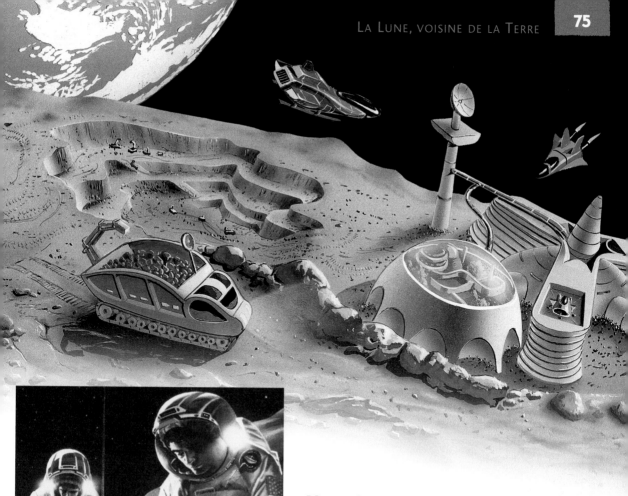

Comme il n'y a pas d'air sur la Lune, il faudra extraire l'oxygène des roches lunaires pour permettre à tous les futurs habitants de respirer. Les hommes qui travailleront à l'extérieur devront être équipés de combinaisons pressurisées et de casques métallisés protégeant des rayons dangereux.

L'exploitation minière

Pour installer des bases, même scientifiques, il faudrait exploiter les ressources locales : matériaux de construction, métaux, etc. Mais des projets vont beaucoup plus loin ! Les Américains envisagent d'extraire du fer, de l'aluminium, du titane – un métal rare – et surtout de l'hélium 3, presque inconnu sur Terre, et qui pourrait devenir indispensable au fonctionnement des centrales nucléaires du futur. Mais pour l'extraire, il faut d'immenses mines à ciel ouvert.

Un peu de tourisme ?

Une société américaine, Luna Corp, a prévu d'envoyer des véhicules automatiques, que l'on pourrait piloter depuis la Terre, dans des parcs d'attractions du genre Disneyland. Les Japonais, eux, pensent à installer des hôtels au bord des grands cratères...

LA LUNE MENACÉE ?

Si l'homme décidait de s'y installer, que deviendraient ses immenses paysages vierges ?
Les activités humaines soulèveraient la poussière très fine du sol. Sans vent pour la pousser, elle deviendrait un brouillard néfaste aux observations scientifiques. Et cela produirait des montagnes de déchets alors qu'il y a déjà des centaines d'objets abandonnés...

FIRMAMENTUM. SEU

Interstitiu

Circulus

Circulus

Circuli

Circu

Orbis

LE CIEL
DE NUIT

Quand le ciel s'assombrit,
une, deux, des dizaines puis
des milliers d'étoiles sortent
de la nuit. Tu y vois alors des
dessins d'animaux, des visages…
Si la tête te tourne, pas de panique :
ces pages sont là
pour te guider !

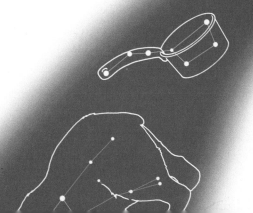

Prépare ton voyage dans les étoiles

C'est en observant souvent le ciel à des saisons et à des heures différentes que tu te repéreras de mieux en mieux. Avec un peu d'entraînement, tu vas reconnaître du premier coup d'œil les principales constellations.

Bien voir

Les étoiles sont nombreuses, mais leur lumière est faible. Un lampadaire ou une Lune brillante suffisent à les faire pâlir jusqu'à les rendre invisibles… Il vaut donc mieux observer les étoiles dans un ciel sans Lune (ou à la rigueur en croissant), dans un lieu sans éclairage et dégagé. Attends 10 min pour que ta vue s'adapte à l'obscurité : petit à petit, tu distingueras de plus en plus d'étoiles. Utilise une lampe à ampoule rouge pour lire une carte, regarder l'heure, etc. Une lampe normale t'éblouirait et tu devrais te réhabituer à chaque fois à l'obscurité !

NE PAS CONFONDRE LES ÉTOILES AVEC !

Les satellites,
qui traversent en
silence le ciel, en ligne
droite et en émettant
une lumière continue
ou un clignotement
lent et régulier
lorsqu'ils tournent
sur eux-mêmes.

Les avions, reconnaissables
à leurs lumières
clignotantes, rouges
d'un côté et vertes de
l'autre. Ils passent assez vite
dans le ciel et parfois
si haut qu'on entend peu,
ou bien plus tard, le bruit
de leurs moteurs.

Les planètes, qui
vagabondent dans le ciel
d'un jour à l'autre avec
des directions et des vitesses
différentes. Contrairement
aux étoiles, les planètes
ne scintillent pas.

Bien se repérer

Quand le ciel est bien noir, il y a tant d'étoiles
que tu es vite perdu ! Aussi faut-il préparer ton
observation. Repère sur une carte les principales
constellations visibles en fonction de la date et
note leur direction. Il est futé de faire une liste
de 5 à 10 objets que tu veux voir en notant
la zone du ciel où tu vas les trouver.
Range tes affaires de façon à les retrouver
facilement dans le noir. Dans ton sac, mets
la boussole dans une poche, les cartes et la lampe
dans une autre, les jumelles à part (séparées de la
nourriture et de la boisson !). Un petit truc : colle
des bandes adhésives fluorescentes sur les poches.

ATTENTION À L'HUMIDITÉ !

Avec la nuit, la température baisse
rapidement. Cela provoque une
condensation de l'eau contenue dans
l'air sur les objets. Protège tes cartes
et tes jumelles dans leur étui quand
tu ne t'en sers pas. Choisis plutôt
des cartes plastifiées qui résistent bien
à l'humidité de la nuit. Si de la buée
s'est déposée sur tes jumelles, fais-les
sécher à l'intérieur de la maison avant
de les remettre dans leur étui et ne
frotte pas les verres : tu les rayerais.

Les constellations

Les hommes ont eu l'idée de donner des noms aux formes dessinées par les étoiles : les constellations. Cela permet de repérer dans le ciel des étoiles, mais aussi d'autres objets lumineux comme les nébuleuses, les galaxies, etc.

Ici un groupe d'étoiles...

Une constellation, qu'est-ce que c'est ?

Chaque constellation désigne une région du ciel, comme un pays dans une carte de géographie. Elle est caractérisée par un dessin géométrique remarquable, auquel on a donné un nom. La plupart viennent des Babyloniens, l'une des plus anciennes civilisations humaines, il y a plus de 5 000 ans.

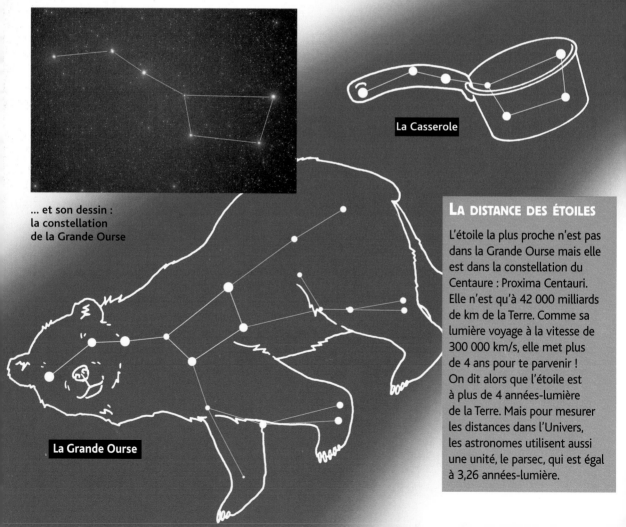

... et son dessin :
la constellation
de la Grande Ourse

La Casserole

La Grande Ourse

LA DISTANCE DES ÉTOILES

L'étoile la plus proche n'est pas dans la Grande Ourse mais elle est dans la constellation du Centaure : Proxima Centauri. Elle n'est qu'à 42 000 milliards de km de la Terre. Comme sa lumière voyage à la vitesse de 300 000 km/s, elle met plus de 4 ans pour te parvenir ! On dit alors que l'étoile est à plus de 4 années-lumière de la Terre. Mais pour mesurer les distances dans l'Univers, les astronomes utilisent aussi une unité, le parsec, qui est égal à 3,26 années-lumière.

La plus célèbre : la Grande Ourse

C'est la constellation la plus connue, car elle est là toute l'année et elle est très facile à identifier. Les 7 étoiles qui la composent sont visibles partout dans l'hémisphère Nord.

On lui a donné des noms différents : la Casserole, pour les gens autour de toi, la Grande Louche pour les Américains (*Big Dipper* en anglais), le Chariot (celui du dieu Odin) pour les Vikings et pour les Irlandais (celui du roi David). Mais beaucoup d'autres : Grecs, Arabes, Phéniciens, Indiens d'Amérique, etc. l'ont nommée Grande Ourse et cela lui est resté...

COMBIEN Y A-T-IL DE CONSTELLATIONS ?

Au IIe siècle apr. J.-C., le Grec Claude Ptolémée parlait de 48 constellations. Aujourd'hui, l'Union astronomique internationale en compte 88.
La plupart des nouvelles constellations sont dans l'hémisphère Sud (où les Grecs n'étaient pas allés). Elles ont parfois des noms étranges comme la Machine pneumatique !

3 Indiens chassant l'ours

La Grande Louche

Construis une constellation

La Grande Ourse est la plus visible bien que ses étoiles soient très, très loin de toi... Elles paraissent être accrochées sur la voûte, toutes à la même distance. Pourtant, si tu pouvais regarder une constellation de profil, tu verrais qu'il n'en est rien !

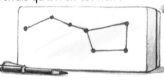

1 Dessine la Grande Ourse avec un feutre au dos de la boîte.

2 Coupe les piques aux longueurs suivantes : Dubhe, 18,5 cm ; Merak, 12,5 cm ; Phecda, 14,5 cm ; Megrez, 13 cm ; Alioth, 12,5 cm ; Mizar, 10 cm ; Alkaïd, 21 cm.

• 7 piques à brochettes
• 7 boules de cotillon
• 1 boîte de polystyrène

3 Dispose les étoiles à leur place.

Mizar
Alioth
Dubhe
Megrez
Alkaïd
Phecda
Merak

4 Pose ce montage sur une table. De profil, tu pourras comparer la position des étoiles de la Grande Ourse.

Observe les constellations

Observer le ciel dans l'obscurité, consulter une carte, expliquer à des copains ce que l'on a découvert : tout cela n'est pas facile ! Ces différentes techniques vont t'aider à te repérer. À toi de choisir la plus adaptée à chaque situation.

Fabrique un viseur d'étoiles

Grâce à ce bricolage astucieux, tu vas repérer les principales constellations (sans perdre d'étoiles !) et visualiser leur répartition dans le ciel. Tu trouveras dans les pages suivantes des cartes de constellations. À toi d'en dessiner d'autres en prenant soin de garder les mêmes proportions.

1 Retire le carton ou le papier du sous-verre.

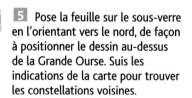

2 Pose une feuille sur une carte de constellations, celle de la Grande Ourse, par exemple. Fixe-la avec quelques trombones.

3 Trace en pointillé les lignes allant d'une étoile à l'autre. Pour les étoiles, dessine des cercles plus ou moins grands, en fonction de leur luminosité.

4 Glisse le lacet dans le ressort d'une pince à linge, fais un nœud. Fais une boucle à l'autre extrémité du lacet de façon à ce qu'il tienne autour de ton oreille : il doit y avoir 40 cm de lacet entre la pince et ton oreille.

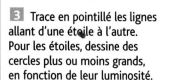

5 Pose la feuille sur le sous-verre en l'orientant vers le nord, de façon à positionner le dessin au-dessus de la Grande Ourse. Suis les indications de la carte pour trouver les constellations voisines.

- Sous-verre de 21 x 29,7 cm (de préférence incassable mais pas antireflet)
- Des feuilles de plastique transparent (type rétroprojecteur)
- 1 stylo de blanc pour correction
- 1 lacet de 75 cm minimum
- 1 pince à linge

Mesure les étoiles avec ton corps

La Grande Ourse est pratique pour étalonner un instrument de mesure toujours disponible : ta main. Tends le bras. Mesure, avec tes doigts, l'écartement entre 2 étoiles de la Grande Ourse. Comme la distance en degrés est connue, ta main devient un instrument de mesure de tout le ciel.

Utilise le « star-hop »

Imagine un chemin qui conduit, « saute » (en anglais, *to hop* veut dire sauter) d'une étoile (très facile à voir) à une autre (que tu veux montrer).
Exemple : il faut suivre vers le haut le bord de la Grande Ourse pour trouver l'étoile Polaire, très brillante.

Repère-toi avec un cadran d'horloge

Choisis une étoile très brillante que tout le monde reconnaît. Elle sera le centre de l'horloge. À partir de là, indique la position d'un objet avec une heure : 9 h sera à gauche, 3 h à droite, etc.

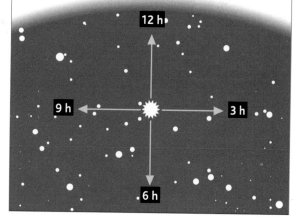

La vie des étoiles

Pendant longtemps, on les a cru accrochées dans le ciel pour l'éternité. Mais la réalité est toute différente : leur histoire est pleine d'énergie et de fureur, de naissances mouvementées et de morts violentes...

La naissance des étoiles

Toutes les étoiles sont nées d'un nuage formé de quantité de poussières et de gaz qui s'attirent les uns les autres ❶. Ce nuage se contracte et sa température augmente. Lorsqu'elle atteint environ 1 million de degrés, les réactions nucléaires se déclenchent et le nuage se met à briller. Après quelques centaines de millions d'années, une étoile est née ❷ !

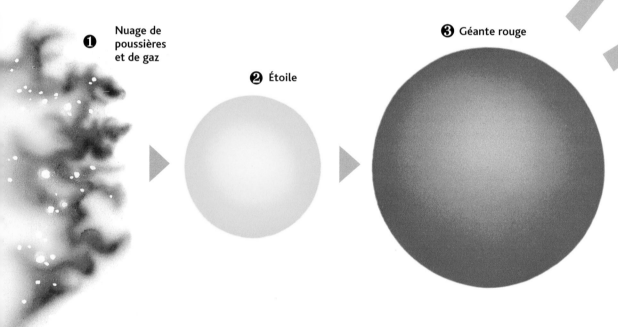

❶ Nuage de poussières et de gaz

❷ Étoile

❸ Géante rouge

Une mort lente

Si l'étoile est de la masse du Soleil, elle se consume pendant environ 10 milliards d'années. Puis son cœur se contracte, son enveloppe se dilate et refroidit. Elle devient une géante rouge ❸ qui engloutit les planètes situées à proximité. Lorsqu'elle a épuisé toute son énergie, elle éjecte dans un dernier sursaut des nuages de gaz qui ensemenceront d'autres étoiles ❹. Puis elle devient une naine blanche ❺, grande comme une planète, qui refroidit et disparaît en naine noire, invisible.

Une mort brutale

Quand l'étoile est plus massive que le Soleil, sa vie est courte et mouvementée. En quelques millions d'années, elle devient une géante rouge ❸ puis une supergéante ❻. Son cœur, très chaud, se contracte puis s'effondre ; la température dépasse les 3 milliards de degrés et c'est l'explosion ! On appelle alors l'étoile une supernova ❼, car une nouvelle lumière très forte apparaît. Ensuite, l'énergie du cœur se libère, les gaz sont dispersés. Mais si sa masse est importante, son cœur s'effondre encore en créant un trou noir ❽ d'où même la lumière ne peut s'échapper.

Supergéante **6**

Le 23 février 1987, cette étoile a explosé en supernova qui a illuminé le ciel austral pendant plusieurs mois.

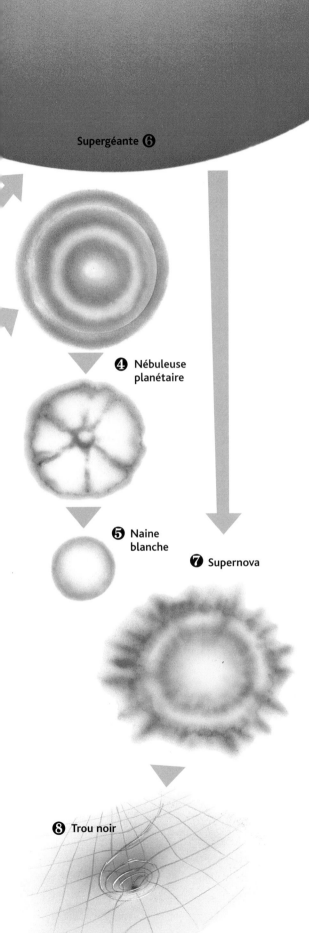

4 Nébuleuse planétaire

5 Naine blanche

7 Supernova

8 Trou noir

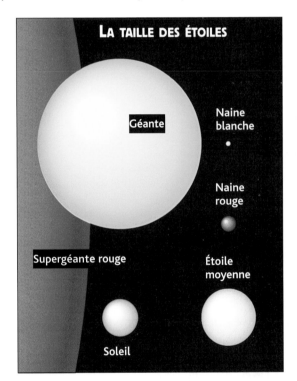

LA TAILLE DES ÉTOILES

Géante

Naine blanche

Naine rouge

Supergéante rouge

Étoile moyenne

Soleil

Dico

La **magnitude apparente** : c'est, pour un observateur terrestre, la mesure de la luminosité d'un corps céleste. Elle va de − 1,5 pour les étoiles les plus lumineuses à 30 pour les galaxies les plus lointaines, visibles uniquement avec les plus grands télescopes. **La magnitude absolue** : c'est la luminosité qu'auraient les étoiles si elles se trouvaient toutes à la même distance de la Terre (à 10 parsecs, soit 32,6 années-lumière). Cela permet de comparer les étoiles entre elles.

Les étoiles, une grande famille

Chez les étoiles, c'est un peu comme dans toutes les familles : tout le monde ne se ressemble pas vraiment ! Il y a des grands, des petits, des solitaires et des couples... et même des individus au comportement plutôt étrange !

Les étoiles doubles

La majorité des étoiles ne sont pas « célibataires », mais font partie de couples célestes. Parfois, ce sont des illusions d'optique appelées doubles optiques. Le plus souvent, ce sont de vrais couples tournant ensemble dans l'espace : les binaires vraies. Et certaines sont si serrées qu'il faut analyser leur spectre lumineux pour les distinguer : on les nomme binaires spectroscopiques. Mais ces couples sont sans histoires, mettant jusqu'à plusieurs siècles pour faire un seul tour de valse dans l'espace...

Les étoiles variables

La compagnie d'autres étoiles ou un épisode particulier de leur vie agitée changent souvent la luminosité des étoiles. En la mesurant, on a remarqué que certaines brillent davantage à intervalles réguliers, tandis que d'autres sont plus capricieuses. Les raisons ? Parfois un simple phénomène d'éclipse : l'une passe devant l'autre. D'autres, comme les céphéides, ont des variations de luminosité (allant de 1 à 40 jours) tellement régulières que les astronomes s'en servent pour tenter de mesurer la taille de l'Univers !

CACHE-CACHE

En observant ces 2 étoiles doubles, tu as devant toi une partie de cache-cache. L'une éclipse l'autre par rapport à nous. Comme ici, Algol dans la constellation de Persée. On les appelle des étoiles variables à éclipses.

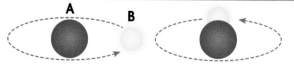

A   B

Intensité lumineuse

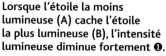

Lorsque l'étoile la moins lumineuse (A) cache l'étoile la plus lumineuse (B), l'intensité lumineuse diminue fortement ❶.

ENCORE PLUS LOIN !

Ils sont très loin, très brillants mais ne sont pas des étoiles : voici des quasars, astres encore méconnus. Sans doute des cœurs de galaxie dont le noyau est très actif...

Les étoiles étranges

Parmi les plus étranges, certaines ont fait croire à l'homme que l'espace lui envoyait des messages ! Comment imaginer, en effet, que des étoiles puissent émettre des signaux radio à intervalles réguliers ? Pourtant plus de 2 000 pulsars identifiés le font ! Ils sont nés des restes d'une supergéante. En explosant en supernova, leur volume a diminué des millions de fois, mais leur vitesse, elle, a augmenté d'autant, jusqu'à atteindre des centaines de rotations par seconde.

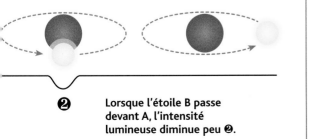

❷ Lorsque l'étoile B passe devant A, l'intensité lumineuse diminue peu ❷.

Mesure le scintillement des étoiles

Plus l'air est agité, plus les étoiles scintillent. En mesurant leur scintillement, variable d'une nuit à l'autre, tu pourras apprécier la qualité du ciel.

1 Choisis une belle étoile basse sur l'horizon. Démarre ton chronomètre, compte 10 scintillements et arrête-le. Note ce temps.

2 Choisis une autre étoile, très haute dans le ciel. Fais comme précédemment.

3 Si les 2 résultats sont proches, le ciel ne sera pas propice à l'observation car l'atmosphère agite le ciel et fait scintiller les étoiles même loin de l'horizon.

- Chronomètre
- Carnet de notes
- Lampe rouge

La piste aux étoiles : la Voie lactée

Par de belles nuits sans Lune, une écharpe blanchâtre aux contours irréguliers traverse le ciel. Elle a un peu la couleur du lait... Étrange !

Où et quand la voir ?

L'été, la Voie lactée est large au sud, puis plus fine lorsqu'elle contourne le pôle Nord par l'est au niveau de la constellation de Cassiopée (reconnaissable à sa forme de W) ; elle se perd ensuite dans l'horizon nord-est. Elle sera plus blanche si la nuit est noire, sans nuages et sans Lune. Et comme elle a la forme d'un arc de cercle découpant un morceau du ciel, cela te donne l'impression d'être sous une voûte en demi-sphère, comme si tu étais sous une demi-orange.

De plus près...

Prends tes jumelles, cale bien tes bras et suis doucement cette piste céleste. Plus question alors de nuage de lait traversant le ciel sombre, mais de milliers et de milliers de points lumineux : des étoiles ! Impossible de les compter ! En t'y promenant lentement, tu découvriras des zones où les étoiles sont si denses qu'on ne peut pas les séparer les unes des autres, et d'autres zones où elles sont rares...

La Voie lactée, c'est ta galaxie !

La plupart des objets lumineux que tu vois dans le ciel font partie de ta galaxie : la Voie lactée. Elle comprend environ 200 milliards d'étoiles réunies dans un énorme disque aplati de 100 000 années-lumière de diamètre, mille fois plus large qu'épais, et légèrement renflé au centre. Ton étoile, le Soleil, est située sur l'un des bras de la spirale à 27 000 années-lumière du centre. Cette galaxie tourne lentement sur elle-même : le Soleil met 225 millions d'années pour faire un tour complet ; c'est l'année galactique.

Quand tu regardes vers le centre de ta galaxie, tu vois un nuage dense et lumineux, dans la constellation du Sagittaire.

Vue du dessus

Tu es là, dans le système solaire ! De cet endroit, tu vois donc la Galaxie par la tranche.

Vue de côté

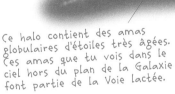

Ce halo contient des amas globulaires d'étoiles très âgées. Ces amas que tu vois dans le ciel hors du plan de la Galaxie font partie de la Voie lactée.

FABRIQUE UNE GALAXIE SPIRALE

Découpe dans un morceau de carton la Voie lactée avec ses 4 bras. Plante au centre du carton une pique à brochettes d'un côté et un bouchon de liège de l'autre. Tourne doucement la Voie lactée. Si tu la regardes du dessous ou du dessus, elle a la forme d'une galette. De profil, c'est une mince ligne.

- Carton
- 1 pique à brochettes
- 1 bouchon de liège

 ## ORIGINE DE LA VOIE LACTÉE

Dans la mythologie grecque, la Voie lactée est née du lait répandu par Héraclès, lorsqu'il tétait le sein d'Héra, la femme de Zeus.
Pour les Chinois et des peuples d'Asie et d'Amérique, c'est un fleuve céleste. Les Lapons et les Tartares d'Asie centrale y voient le chemin des oiseaux ; les Indiens d'Amérique du Nord, la route que les âmes prennent pour rejoindre le pays des morts.

 ## DICO

Une galaxie est un énorme ensemble de milliards d'étoiles liées par la gravité.

Les autres galaxies

C'est le célèbre astronome américain Hubble (on a donné son nom au télescope spatial lancé en 1990) qui a étudié, vers 1920, les formes de plusieurs milliers de galaxies pour essayer de percer le mystère de leur origine.

NGC 1313 est une galaxie irrégulière située dans la constellation du Réticule, dans l'hémisphère austral, comme le Petit et le Grand Nuage de Magellan.

M 87 est située dans la constellation de la Vierge ; cette galaxie elliptique est l'une des plus massives et des plus lumineuses connues. Elle est aussi la source d'un signal radio et d'une émission de rayons X très puissants.

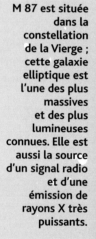

Tournez, manège !

Comme les galaxies tournent dans l'Univers, cela leur donne le plus souvent une forme de spirale aux longs bras déployés autour d'un centre ovale très dense. C'est le cas de la Voie lactée. Mais il en existe d'autres, très différentes, qui parfois voyagent ensemble dans l'immensité...

NGC 1365 : c'est la plus belle galaxie spirale barrée du ciel. Située dans la constellation du Fourneau (hémisphère Sud), elle appartient à un groupe de galaxies dont plusieurs sont spectaculaires. Sa barre centrale mesure 45 000 années-lumière !

M 100 : cette superbe galaxie de la Chevelure de Bérénice est l'une des plus grandes galaxies spirales connues. C'est William Parson qui, grâce à son télescope géant, vit le premier sa forme spirale en 1850.

Des nuages de galaxies

Au XVIᵉ siècle, lorsque Magellan partit faire le tour du monde, ses marins remarquèrent, dans les cieux proches de l'hémisphère Sud, d'étranges taches colorées : on les appela le Petit et le Grand Nuage de Magellan. Plusieurs siècles plus tard, on comprit que ces nuages étaient en fait des galaxies irrégulières proches de la nôtre, à environ 170 000 années-lumière... Chacune contient des milliards d'étoiles et fait partie d'un groupe d'une trentaine de galaxies qui se déplacent ensemble dans l'Univers, dont la Voie lactée. Andromède étant la plus grande galaxie de ce groupe à plus de 2 millions d'années-lumière.

LES ÎLES-UNIVERS

En 1755, un philosophe allemand passionné d'astronomie, Emmanuel Kant, pensait que l'Univers était constitué d'une multitude d'univers plus petits : les îles-univers. Cette théorie, uniquement philosophique au départ, a été ensuite adoptée par l'astronome William Herschel. Grâce à son télescope très puissant, il pressent alors (sans pouvoir le prouver vraiment) que les nébuleuses qu'il observe sont en fait des objets très lointains qui contiennent, comme la Voie lactée, des quantités d'étoiles.

En 1784, l'astronome français Charles Messier appelle nébuleuses 103 objets lumineux qui pouvaient être confondus avec les comètes car ils donnaient une petite tache floue dans les télescopes de l'époque. Parmi celles-ci, Messier nomma la grande galaxie d'Andromède : M 31. C'est le nom que tu verras sur les cartes du ciel.

Le couple de galaxies des Antennes (très irrégulières) est formé de 2 galaxies en train de se croiser. Comme elles sont surtout faites de vide, il n'y a pas de collisions d'étoiles, mais les forces de gravitation déforment les 2 galaxies. Elles vont sans doute fusionner pour donner une galaxie elliptique géante, dans quelques centaines de millions d'années.

William Parson réalisa, au milieu du XIXᵉ siècle, le plus grand télescope jamais construit : 16 m de long ! Quand il observa la nébuleuse M 51 dans la constellation des Chiens de chasse, il fut le premier homme à découvrir une fantastique spirale, qu'il nomma la nébuleuse du Tourbillon.

Les nébuleuses

Faits de gaz et de poussières, ces nuages ne sont ni des étoiles, ni des planètes, mais ils gardent les traces de la vie agitée des objets célestes. On les appelle des nébuleuses...

Dans la famille nébuleuse, il y a...

Quand les nébuleuses ne contiennent pas encore d'étoiles, elles font une tache sombre, visible sur un fond lumineux (comme par exemple sur la photo ci-contre). On les appelle nébuleuses obscures. Puis, quand les étoiles naissent, elles sont si chaudes qu'elles éclairent les nuages environnants d'une lueur diffuse. On les appelle nébuleuses diffuses. Plus tard, quand les étoiles vieillissent, leur enveloppe de gaz est expulsée dans l'espace. Avant de se diluer dans l'infini, cette enveloppe reste visible, éclairée par les restes de l'étoile : cela devient une nébuleuse planétaire ou un reste de supernova si l'étoile était massive et l'explosion violente.

Dommage que cette très jolie nébuleuse, dite de la Tête de cheval, ne soit visible qu'avec un très gros télescope !

DICO

Le mot nébuleuse vient du mot latin *nebula* qui signifie nuage. Une nébuleuse est donc un nuage de gaz et de poussières. Elle est obscure, diffuse ou planétaire.

LA CHIMIE DES ÉTOILES

Tout au long de leur vie, les étoiles sont
de fantastiques machines qui brûlent, transforment
des éléments chimiques grâce à des réactions
nucléaires où les températures de plusieurs millions
de degrés sont courantes !

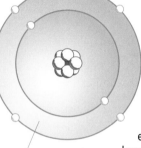

Les étoiles commencent
par transformer l'hydrogène
en hélium, puis l'hélium
en carbone.

Atome
d'hélium

Atome d'hydrogène

Dans les étoiles
supergéantes,
le carbone obtenu
se transforme
ensuite en oxygène,
en silicium, en fer, et,
lorsqu'elles explosent
en supernova, en nickel
et autres éléments lourds.

Atome de carbone

C'est pourquoi le carbone, l'oxygène, les métaux
et tous les autres éléments indispensables à la vie
ont été et sont encore créés par les réactions
nucléaires des étoiles qui se succèdent depuis
la naissance de l'Univers.

La nébuleuse
du Crabe est
un reste de
supernova qui
apparaît dans
la constellation
du Taureau.
Lorsque l'étoile
dont elle est
issue a explosé
en 1054,
elle est restée
visible pendant
des mois, même
en plein jour.

Les amas d'étoiles

Quand les étoiles restent groupées tout près les unes des autres, elles forment des objets très lumineux que l'on appelle des amas.

Les amas ouverts

Toutes les étoiles nées du même nuage de gaz (d'une nébuleuse diffuse) voyagent ensemble dans une même région du ciel. Elles forment alors ce qu'on appelle un amas ouvert, ou amas galactique. On en trouve beaucoup dans les bras des galaxies. Ces étoiles jeunes ont donc le même âge et vont tourner ensemble dans la galaxie jusqu'à ce que l'amas se disperse et que les étoiles mènent leur vie chacune de son côté, au bout de plusieurs centaines de millions d'années...

Cet amas ouvert, les Pléiades, est visible dans la constellation du Taureau. Il contient 250 étoiles, surtout des géantes bleues. Seules quelques-unes sont visibles à l'œil nu.

Les amas globulaires

Lorsque des amas d'étoiles très denses sont composés d'étoiles qui ne peuvent pas se séparer, liées entre elles par le phénomène de gravitation, on a affaire à des amas globulaires. Ces boules énormes contiennent fréquemment plus de 100 000 étoiles ! Elles font partie du halo galactique et sont sans doute nées en même temps que les galaxies. C'est donc dans ces amas globulaires que l'on trouve les étoiles les plus vieilles de l'Univers. On en connaît une centaine dans la Voie lactée, mais très peu sont visibles à l'œil nu ou aux jumelles.

Oméga du Centaure est un amas globulaire énorme composé de plus d'un million d'étoiles, situé dans la constellation du Centaure, dans l'hémisphère Sud.

APPRENDS À NOMMER LES OBJETS DU CIEL

Dans le ciel, les objets sont si nombreux que, pour les reconnaître
sur les cartes, écrire sur eux, en parler dans
les livres... il faut que tout le monde soit d'accord pour
leur donner un nom. L'idéal serait, bien sûr, qu'il n'y en ait qu'un
seul, mais l'astronomie, comme les autres sciences,
est le reflet des civilisations, de leur histoire...
En voici quelques exemples.

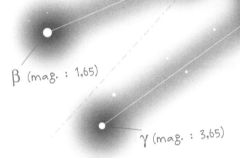

β (mag. : 1,65)

α du Taureau, appelée
Aldébaran (mag. : 0,87)

γ (mag. : 3,65)

Lire un catalogue...

Le plus ancien catalogue est sans doute celui
établi par le grec Hipparque en 129 avant J.-C.,
qui comprend 850 étoiles. Il est ensuite repris
par Ptolémée à Alexandrie. Ces étoiles avaient
chacune un nom propre qui sera repris dans les atlas
et les catalogues établis plus tard par les Arabes.
Puis Johann Bayer, dans son atlas publié en 1603,
a l'idée d'utiliser des lettres grecques pour désigner
les étoiles. Ces lettres sont attribuées aux étoiles
d'une constellation dans l'ordre de leur magnitude
apparente (mag.).

LIRE DES CATALOGUES...

Au cours des siècles, les astronomes ont inventé
de nombreux catalogues (environ 1 000 !). Ainsi,
une même étoile a plusieurs noms. Exemple :
Deneb, l'étoile la plus brillante de la constellation
du Cygne.

Nom propre	Deneb
Atlas de Bayer	α Cygni
Atlas de Flamsteed	50 Cygni
Catalogue Hipparcos	HIP 102098
Catalogue Draper	HD 197345
Catalogue SAO	SAO 49941

Et pour les objets autres que les étoiles ?

Pour ces objets, le premier et le plus célèbre
est celui de Charles Messier. Il y répertorie
103 objets. Puis Dreyer établit en 1888 un nouveau
catalogue beaucoup plus important : le Nouveau
Catalogue général (NGC).

Dans le catalogue Messier, la galaxie d'Andromède
est M 31. Dans le catalogue Dreyer, elle s'appelle
NGC 224.

Les planètes ont des noms de dieux romains,
les satellites des noms de dieux grecs ou romains.

Quant aux petits corps célestes, comètes
ou astéroïdes, ils sont désignés par l'Union
astronomique internationale par un nombre et
2 lettres. Le nombre est l'année de leur découverte,
la première lettre la quinzaine dans l'année,
et la deuxième lettre l'ordre de la découverte dans
cette période. Par exemple, 1999 EC désigne
le 3e astéroïde découvert pendant la 5e période
de l'année 1999.

L'Univers

Toutes ces étoiles, ces galaxies réparties sur des milliards d'années-lumière font partie de l'Univers. Mais quelle est sa taille ? Comment est-il né ? Des télescopes de plus en plus puissants permettront peut-être d'en savoir un peu plus...

La naissance de l'Univers

Il y a environ 15 milliards d'années, une formidable explosion, appelée le Big Bang, libère une énergie considérable.
Puis 300 000 ans plus tard, l'Univers, qui était opaque, devient transparent à la lumière. La température passe de plusieurs milliards de degrés à 3 000 seulement !
Des nuages de gaz se forment, se condensent en étoiles.
Des amas d'étoiles et de gaz donnent naissance à des galaxies en quelques centaines de millions d'années, un peu comme des grumeaux se réunissent autour des tourbillons dans la pâte à gâteau.

La taille de l'Univers

Au début du XXᵉ siècle, beaucoup d'astronomes pensaient que l'Univers se limitait à notre galaxie. Puis ils mirent au point des méthodes pour évaluer la taille de l'Univers.
En mesurant, par exemple, les variations de luminosité d'étoiles variables comme les céphéides, ils ont pu déterminer par le calcul leur distance par rapport à la Terre. C'est ainsi qu'en 1924, l'Américain Edwin Hubble en déduisit qu'il existait une foule d'autres galaxies semblables à la nôtre et que l'Univers s'étendait bien au-delà de ce qu'on avait imaginé.
En 1929, Hubble, toujours lui, confirma, grâce à l'effet Doppler-Fizeau (voir l'encadré), que l'Univers était en expansion.

LES OBJETS LES PLUS LOINTAINS DE L'UNIVERS

Plus un objet céleste est loin de nous, plus il s'éloigne vite. Les galaxies très lointaines, par exemple, s'éloignent de la Terre très vite et leur lumière elle-même met des milliards d'années à nous parvenir... Un vrai casse-tête ! Mais, comme la lumière d'un objet céleste se décale vers le rouge en s'éloignant, les scientifiques utilisent ce phénomène (l'effet Doppler-Fizeau, du nom de ses découvreurs) pour mesurer la vitesse de déplacement des objets lointains.

Copernic plaçait le Soleil au centre de l'Univers.

Les hommes face à l'Univers

Pendant des millénaires, la cosmologie, la science de l'Univers, se confondait avec l'astronomie, l'astrologie et la religion. L'Univers avait une fin, le ciel contenait des sphères dans lesquelles tournaient les planètes et les étoiles.
Puis Copernic et ensuite Newton changèrent notre vision de l'Univers. Plus tard, Einstein et les inventeurs du Big Bang, Lemaître et Friedman, puis Hubble, ont montré que l'Univers était en perpétuelle évolution.

L'UNIVERS A-T-IL UNE LIMITE ?

Grâce à des télescopes très puissants, on se rapproche d'objets de plus en plus lointains qui étaient présents quand l'Univers est né. Mais la limite semble atteinte ! Lorsqu'on remonte le temps jusqu'à 100 000 ans après le Big Bang, la lumière de l'Univers ne nous parvient plus que sous la forme d'une onde radio très faible...

Reproduis l'expansion de l'Univers

1 Dessine sur un ballon très peu gonflé des galaxies de différentes formes à intervalles réguliers.

2 Gonfle le ballon. Petit à petit, les galaxies s'éloignent les unes des autres dans toutes les directions, comme cela se passe dans l'Univers.

- Ballon
- Feutre

EN ROUTE
POUR LES
CONSTELLATIONS

Tu possèdes maintenant les outils et les connaissances pour voyager dans le ciel de nuit... Tes instruments sont prêts ? La nuit promet d'être claire et douce ?

Alors, tu as rendez-vous avec le ciel de nuit : spectacle grandiose garanti !

Point de départ : l'étoile Polaire

Au cours de la nuit, toutes les étoiles de la voûte céleste semblent tourner autour d'une seule, celle qui est dans l'axe de la Terre, l'étoile Polaire. C'est par elle que commence ton voyage dans les étoiles.

L'étoile qui ne bouge pas

Pour la trouver, repère la Grande Ourse (la constellation en forme de grande casserole). Ensuite, il te suffit de prolonger le bord extérieur de la casserole de 5 fois la distance séparant les 2 étoiles du bord. L'étoile Polaire est là, pas très brillante, et constitue l'extrémité du manche d'une autre casserole, plus petite, appelée la Petite Ourse. Au cours de la nuit, la Grande Ourse se déplace et n'a pas la même place chaque soir selon les saisons, mais l'étoile Polaire, elle, reste toujours à la même place.

LA PETITE OURSE

L'étoile Polaire

5

4

3

2

1

LA GRANDE OURSE

Hier et demain ?

Il y a 5 000 ans, le centre autour duquel tournaient les étoiles n'était pas l'étoile Polaire actuelle (appelée Polaris par les astronomes), mais une étoile de la constellation du Dragon : Thuban. Pourquoi ? C'est parce qu'en tournant comme une toupie, l'axe de rotation de la Terre décrit un cercle. Aussi l'étoile qui se trouve dans cet axe (l'étoile Polaire) change très lentement. Dans 12 000 ans, l'étoile Polaire sera Véga dans la constellation de la Lyre, et alors toutes les étoiles du ciel sembleront tourner autour d'elle.

Photographie le ciel de nuit

Pour voir le mouvement des étoiles du ciel tout au long de la nuit, prends une photo.

1 Fixe un appareil photo sur un pied (ou un support) de façon à viser l'étoile Polaire.

2 Règle ton appareil pour prendre une photo en pose d'une heure, en réglant la mise au point sur l'infini et l'ouverture au minimum.

- Un appareil photo équipé d'une pellicule de 400 ISO noir et blanc ou 64 ISO couleur.

Lis l'heure avec les étoiles

La Grande Ourse fait un tour complet autour de l'étoile Polaire en 24 h. Avec cet instrument, appelé noctulabe, il suffit de connaître la date pour lire l'heure.

1 Trace 2 cercles, 1 de 10 cm de diamètre et 1 de 12,5 cm, comme sur le modèle.

2 À l'aide de ton compas, divise chacun des cercles en 12 parties égales (chacune mesure 360 : 12 = 30°). Écris au stylo-bille correcteur, les mois et les heures comme sur ce modèle.

3 Découpe sur la 2e feuille un cercle de 10 cm de diamètre et dessine la Petite et la Grande Ourse, en plaçant la Polaire au centre.

- 1 compas
- 1 double décimètre
- 2 feuilles de plastique transparent
- 1 stylo-bille correcteur

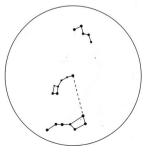

4 Pour lire l'heure, mets la Polaire au centre et la date en haut. Les étoiles du bord extérieur de la Grande Ourse (les Pointeurs) te montrent alors l'heure.

Autour de l'étoile Polaire

Tout autour d'elle, plusieurs constellations, appelées constellations circumpolaires, sont toujours là, fidèles. Chaque nuit, elles tournent, sans jamais se coucher...

La Grande Ourse

Sa forme de casserole regroupant 7 étoiles t'est maintenant familière. Alors pourquoi l'appelle-t-on Grande Ourse ?

Le nom de la Grande Ourse vient d'une histoire d'amour « orageuse » de la mythologie grecque. Zeus, le dieu des dieux, tombe amoureux d'une très belle nymphe : Callisto. Ils ont un fils, Arcas. La femme de Zeus, Héra, l'apprend et change Callisto en ourse. Un jour, l'ourse rencontre dans la forêt un jeune chasseur, qui est en fait Arcas. Elle ouvre les bras pour l'embrasser mais il ne reconnaît pas sa mère et lève sa lance pour la tuer. Zeus intervient en un éclair et le transforme lui aussi en ours. Puis il saisit les deux ours par la queue, les projette dans le ciel. C'est pourquoi, dit-on, les deux ours du ciel ont une queue plus longue que les ours terrestres...

La Petite Ourse

Elle ressemble à la casserole, en plus petit et inversée. À l'extrémité de sa queue, l'étoile Polaire n'est pas très brillante : elle est seulement la 49e du ciel. Aux jumelles, tu verras juste en dessous un groupe d'étoiles qui forme un cercle.

Le Dragon

La Petite Ourse

L'étoile Polaire

La Grande Ourse

L'étoile Polaire et les constellations qui tournent toujours autour d'elle.

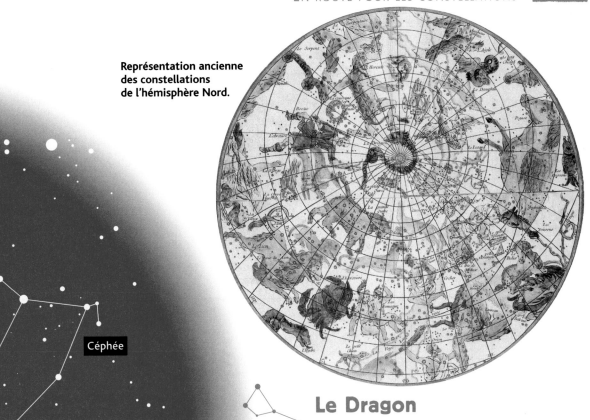

**Représentation ancienne
des constellations
de l'hémisphère Nord.**

Céphée

Cassiopée

Le Dragon

Cette constellation, avec sa tête
en losange et sa très longue queue,
ressemble un peu à un cerf-volant
qui fait presque la moitié du pôle nord céleste.

Pour les Babyloniens, il y a 5 000 ans, ce dragon
était Tiamat, le maître des eaux salées et
du chaos. Il fut tué dans un combat titanesque
par le héros Marduk qui créa la Terre et les cieux
avec les morceaux du corps du dragon. Dans
la mythologie grecque, Marduk est devenu Héraclès.
Le dragon gardait les pommes d'or du jardin d'Héra,
la femme de Zeus. Héraclès vola les pommes d'or
par la ruse et Héra, furieuse, le punit en le plaçant
parmi les constellations qui ne se couchent jamais
pour y monter la garde, éternellement...

Cassiopée

Facile à reconnaître,
elle a la forme d'un
grand W.

Dans la mythologie grecque, Cassiopée, reine
d'Éthiopie, offensa des divinités de la mer,
les Néréides, en se vantant d'être plus belle qu'elles.
Celles-ci demandèrent à Poséidon, le dieu de la mer,
de les venger. Elles attachèrent Cassiopée sur une chaise
dans le ciel, tout près de Polaris. Là, en tournant, elle
prend parfois une position humiliante, la tête en bas.

Céphée

Cette constellation ressemble
à la maison que dessinent souvent
les enfants. Mu Cephei, l'une de
ses étoiles, a une belle couleur grenat.

Très près de Cassiopée, on l'a appelée Céphée,
le nom du mari de Cassiopée.

Le zodiaque

Bélier, Scorpion, Vierge, Balance, etc., tu connais ces noms, ce sont les signes du zodiaque. En astrologie, ton signe est celui de la position du Soleil lors de ta naissance. Certains leur accordent une grande importance pour la suite de leur vie. Et en astronomie ? Ce sont des constellations, tout simplement !

Où est le zodiaque ?

Dans le ciel, le Soleil, la Lune et les planètes semblent suivre toujours un même chemin. Comme c'est le long de cette voie imaginaire qu'ont lieu les éclipses, il fut nommé écliptique. Il a été beaucoup étudié par les astronomes de l'Antiquité. Ceux-ci ont découvert que les mouvements des astres dans le ciel pouvaient être prévus ; ils croyaient aussi que c'étaient des messages que les dieux envoyaient aux hommes et qu'ils influençaient l'avenir.

ASTROLOGUES : LES INTERPRÈTES DES DIEUX

Astrologie signifie le « discours des astres ». Les astrologues estiment traduire le message caché dans les mouvements des astres. Leurs prévisions sont regroupées dans les horoscopes.

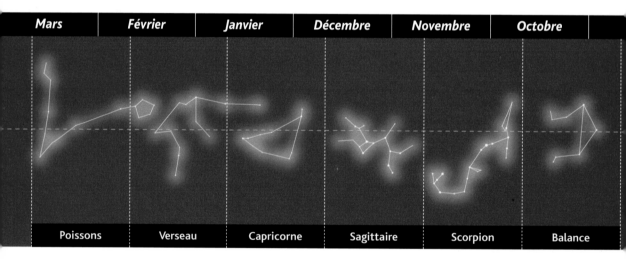

Mars	Février	Janvier	Décembre	Novembre	Octobre
Poissons	Verseau	Capricorne	Sagittaire	Scorpion	Balance

Les inventeurs du zodiaque

Il y a 5 000 ans, les Babyloniens ont découpé cette bande du ciel en 12 secteurs égaux, chacun associé à une divinité. Le point de départ du zodiaque était le point vernal, c'est-à-dire le lieu où se trouve le Soleil à l'équinoxe de printemps. Ce point évolue avec le temps. Il était dans le Taureau à leur époque, puis dans le Bélier dans la Grèce antique. Aujourd'hui dans les Poissons, il passera bientôt dans le Verseau. Mais l'astrologie n'a pas pris en compte ces changements ! Ses calculs se basent sur un ciel vieux de 2 000 ans ! Rien à voir avec l'astronomie qui, de plus, décrit 13 constellations sur l'écliptique !

KEPLER, ASTRONOME OU ASTROLOGUE ?

Au XVIIe siècle, Kepler était salarié à la cour des Habsbourg comme astronome. Il complétait ses maigres revenus en vendant des horoscopes. Aussi, même dans ses écrits scientifiques, il utilisait un jargon astrologique. Cela agaçait tellement Galilée qu'il a toujours refusé de collaborer avec lui !

Construis un zodiaque

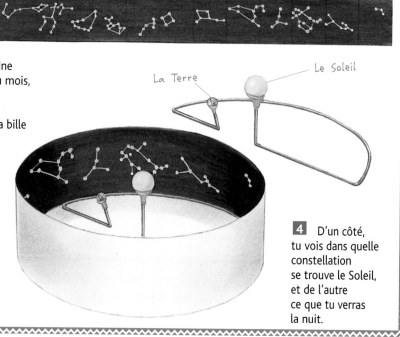

1 Divise la bande de papier en 12 parties égales de 7 cm. Dessine dans chacune le signe et le nom du mois, comme sur ce modèle.

2 Installe la balle (le Soleil) et la bille (la Terre) comme sur le schéma.

3 Colle la bande en rond autour du montage.

- Une bande de papier de 84 x 10 cm
- Un morceau de pâte à modeler
- 1 m de fil de fer
- 1 balle de ping-pong
- 1 bille

4 D'un côté, tu vois dans quelle constellation se trouve le Soleil, et de l'autre ce que tu verras la nuit.

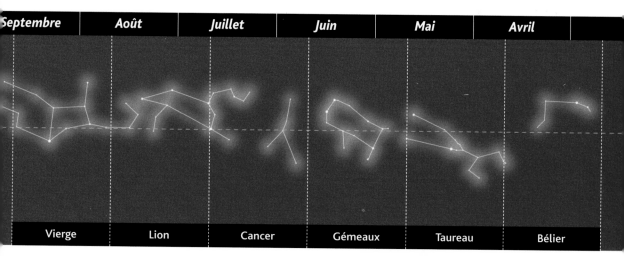

Septembre	Août	Juillet	Juin	Mai	Avril
Vierge	Lion	Cancer	Gémeaux	Taureau	Bélier

LE POUVOIR DU CIEL

Dans la Chine ancienne, l'empereur était fils du Ciel. L'astrologie avait une grande place, car l'astrologue impérial devait non seulement interpréter le ciel pour chaque événement mais montrer que l'arrivée au pouvoir de chaque nouvel empereur était inscrite depuis toujours dans les astres...

Le ciel d'été

Là, au-dessus de ta tête, il y a cette immense voûte étoilée. Mais as-tu remarqué qu'elle changeait au fil des saisons ? Des objets passent, disparaissent puis reviennent, parfois un an plus tard. Spectacle toujours différent, passionnant !
C'est les vacances, profites-en...

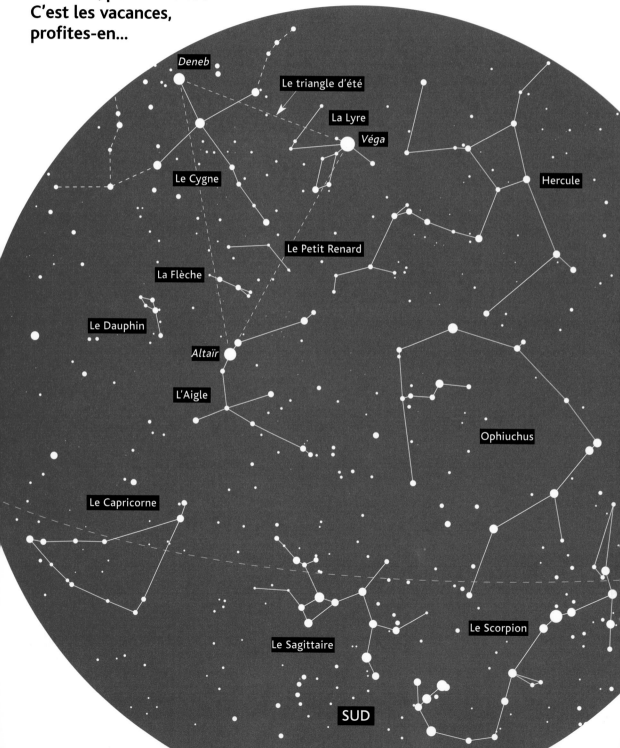

Le ciel d'été

Voici le ciel visible en direction du sud, une nuit d'été vers 23 heures. La première étoile qui apparaît, haut dans le ciel, c'est Véga de la Lyre. Viennent ensuite Deneb à l'est, puis Altaïr, un peu plus au sud. À elles trois, elles forment le triangle d'été, qui reste dans le ciel toute la nuit.

CONDITIONS D'OBSERVATION

Quand la journée a été chaude, la fraîcheur de la nuit est agréable, mais l'air vibre, les étoiles scintillent beaucoup : l'observation est difficile. Plus tard, à la nuit noire, l'air est calme mais l'humidité de la condensation arrive : il faut se couvrir ! L'idéal est une nuit d'été, mais après la pluie, lorsqu'elle a nettoyé le ciel. En bord de mer, les changements de marée apportent parfois des nuages d'altitude, alors qu'en montagne, il faut se méfier des orages soudains.

Le Cygne

Posée sur un immense tapis d'étoiles, le Cygne, appelée aussi la Croix du Nord, est au milieu de la Voie lactée. Elle est facile à repérer grâce à sa forme d'oiseau en vol et à Deneb, l'étoile qui marque la queue du cygne. (Les Arabes, eux, y voient une poule !)

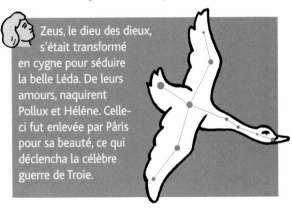

Zeus, le dieu des dieux, s'était transformé en cygne pour séduire la belle Léda. De leurs amours, naquirent Pollux et Hélène. Celle-ci fut enlevée par Pâris pour sa beauté, ce qui déclencha la célèbre guerre de Troie.

Si le ciel est très pur, tu verras, juste à côté de **Deneb, la nébuleuse diffuse d'Amérique du Nord** (NGC 7000). Ce nuage a la forme de ce continent et il est éclairé par les étoiles qu'il contient.

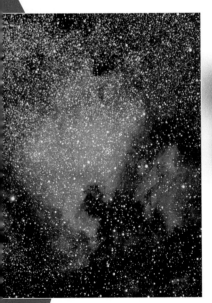

La nébuleuse diffuse d'Amérique du Nord.

Deneb

Si la nuit est bien noire, tu verras la **crevasse du Cygne**, une nébuleuse obscure qui, partant de Deneb, coupe la Voie lactée en 2 dans le sens de la longueur, vers le sud.

61 Cygni

LE CYGNE

ζ

Écliptique

À mi-chemin entre **Deneb** et **Zêta** (ζ), il y a un couple d'étoiles orange : **61 Cygni**. Elles sont les premières dont on ait mesuré la distance depuis la Terre, il y a plus d'un siècle. Très proches de nous, elles ne sont qu'à 10,9 années-lumière !

Albireo, à la tête du Cygne, est l'une des plus belles étoiles doubles du ciel : l'une est jaune et l'autre bleue. Elles sont visibles avec une petite lunette.

Albireo

La Lyre

Très haute dans le ciel, juste au bord de la Voie lactée, Véga de la Lyre brille comme un diamant d'un éclat blanc bleuté. Du fait de la précession de la Terre, elle devient l'étoile Polaire tous les 26 000 ans. Ce sera son tour dans 12 000 ans !

> Pour les Grecs, la Lyre est l'instrument de musique qui permit au poète Orphée de sauver sa fiancée Eurydice de la mort. Ses chants charmèrent Hadès, le dieu des Enfers. Les Chinois y voient une princesse tisserande qui se morfond alors que son époux (Altaïr, dans l'Aigle) garde ses moutons de l'autre côté du fleuve infranchissable de la Voie lactée.

Cette belle nébuleuse planétaire, M 57, juste au milieu de la ligne entre β et γ, est appelée la nébuleuse de l'Anneau, visible seulement avec un gros télescope. Un très bel anneau de gaz coloré entoure une naine blanche.

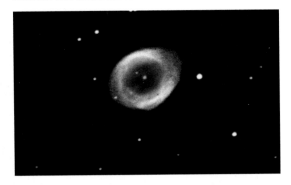

Au télescope, on comprend l'origine des surnoms de M 27 : nébuleuse des Haltères ou Diabolo.

As-tu une bonne vue ? Tu le sauras en observant l'étoile ε. Si tu vois qu'elle est double, bravo ! Sinon, prends tes jumelles, et regarde en même temps δ qui est aussi une étoile double, mais dont les deux composantes sont plus rapprochées !

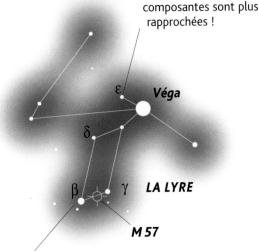

LA LYRE

β **Lyrae** est une étoile variable à éclipses. Elle passe de la magnitude 4,3 à 3,4 tous les 13 jours.

La Flèche et le Petit Renard

En traversant la Voie lactée, d'Albireo vers l'Aigle, on rencontre 2 petites constellations : le Petit Renard, peu visible, et la Flèche, qui se détache mieux, juste au nord d'Altaïr.

Une très belle nébuleuse, **M 27 (nébuleuse des Haltères)**, ne montre qu'une petite tache floue aux jumelles.

LE PETIT RENARD

LA FLÈCHE

> Cette Flèche aurait été lancée par Hercule (Héraclès), qui se trouve à l'ouest, pour tuer l'Aigle.

On voit à l'œil nu un amas ouvert, à l'ouest de la Flèche en plein centre de la Grande Crevasse. Aux jumelles, sa forme de porte-manteau lui a valu son nom : **amas du Cintre**.

L'Aigle

L'étoile la plus brillante de l'Aigle, Altaïr, est la 3e étoile du triangle d'été.

 Lorsque Prométhée, ton ancêtre, tint tête aux dieux en donnant le feu aux hommes, Zeus le fit enchaîner et envoya un aigle lui dévorer les entrailles. L'Aigle se retrouva au ciel pour avoir obéi à Zeus, le dieu des dieux, mais sous la menace d'Hercule et de ses flèches...

Tarazed
Altaïr
Alshain

L'AIGLE

Les 3 étoiles : **Tarazed**, **Altaïr** et **Alshain** forment une belle ligne où Altaïr est bien blanche et Tarazed orange.

L'autre aile de l'Aigle pointe vers un amas ouvert : **M 11** (le Canard sauvage).

Le Dauphin

La forme de cette jolie petite constellation inventée par les marins évoque bien un dauphin hors de la Voie lactée.

L'étoile γ **Del.**, la pointe du museau du dauphin, est une jolie étoile double visible aux jumelles.

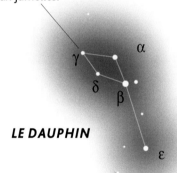

γ
α
δ
β
ε

LE DAUPHIN

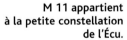 Pour les Indiens d'Amérique du Nord, le Cygne est un grizzly et le Dauphin, l'empreinte de sa patte.

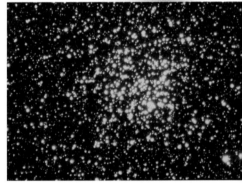

M 11 appartient à la petite constellation de l'Écu.

Fabrique un luminomètre

1 Retire le fond des petits-suisses.

2 Colle 1 épaisseur de Cellophane sur le pot n° 5, 2 épaisseurs sur le n° 4, 3 sur le n° 3, etc.

- Feuilles de papier Cellophane
- 5 pots de petits-suisses
- Colle

3 Si une étoile n'est visible que dans le pot n° 5, cela signifie que l'étoile est de magnitude 5 ou plus. Si elle est toujours visible à travers le pot 1, cela signifie que sa magnitude est comprise entre 0 et 1.

HERCULE

η

ζ

Hercule

Cette constellation se repère facilement à partir du trapèze situé sur une ligne allant de Véga à Arcturus (dans la constellation du Bouvier). Hercule se présente agenouillé, la tête en bas, d'où le nom d'α : **Ras algethi** veut dire la « tête de l'agenouillé » en arabe.

Dans l'hémisphère Nord, **M 13** est l'un des amas globulaires les plus faciles à voir à l'œil nu.

Composé d'une centaine de milliers d'étoiles, M 13 est facile à trouver aux jumelles entre η et ζ Her. C'est l'un des amas globulaires parmi la centaine orbitant autour de la galaxie.

Hercule était un fils de Zeus. L'épouse de Zeus, Héra, qui n'était pas sa mère, essaya de le tuer dans son berceau, puis le poussa à exécuter des crimes. Chaque fois, Hercule devait expier ses fautes en réalisant un exploit extraordinaire : ce sont les 12 travaux d'Hercule.

Le Capricorne

À l'est de la Voie lactée, cette constellation a la forme d'un triangle un peu tordu. Comme pour la plupart des signes du zodiaque, ses inventeurs sont les Babyloniens, il y a 7 000 ans. Ce signe, moitié poisson (animal d'eau), moitié chèvre (animal des montagnes), évoque la sortie du Soleil des signes d'eau et le début de son ascension après le solstice d'hiver, le 21 décembre.

α est une étoile double visible à l'œil nu et très bien séparée aux jumelles.

Pour les Grecs, le Capricorne est devenu le dieu Pan, fils d'Hermès, représenté sous la forme d'un satyre moitié homme, moitié bouc. Il sauva Zeus du terrible Typhon en faisant fuir ce dernier avec les sons affreux de sa flûte... Pour le remercier, Zeus l'envoya dans le ciel.

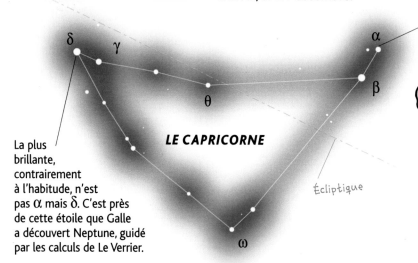

δ

γ

α

θ

β

LE CAPRICORNE

Écliptique

ω

La plus brillante, contrairement à l'habitude, n'est pas α mais δ. C'est près de cette étoile que Galle a découvert Neptune, guidé par les calculs de Le Verrier.

Ophiuchus (le Serpentaire)

Elle est difficile à repérer car elle est très étendue et située à cheval sur la Voie lactée. On repère α, qui forme un triangle avec Altaïr et Véga, à l'opposé du triangle d'été.

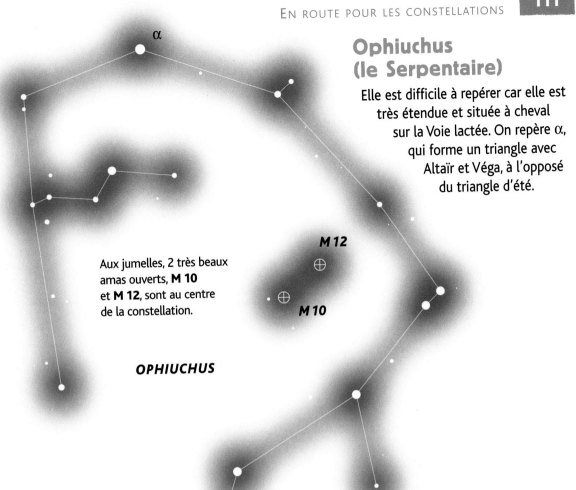

α

M 12
⊕

⊕
M 10

Aux jumelles, 2 très beaux amas ouverts, **M 10** et **M 12**, sont au centre de la constellation.

OPHIUCHUS

LE TROPIQUE DU CAPRICORNE

Les tropiques sont des lignes imaginaires qui, sur la Terre, marquent l'endroit où le Soleil est exactement à la verticale à midi le jour du solstice d'hiver. Ce jour-là, c'est la constellation du Capricorne qui est haute dans le ciel à midi, et lors du solstice d'été, c'est la constellation du Cancer.

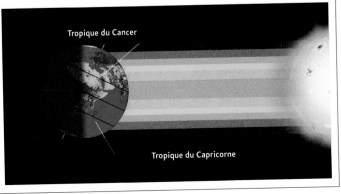

Tropique du Cancer

Tropique du Capricorne

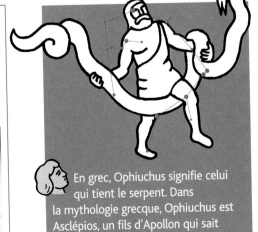

En grec, Ophiuchus signifie celui qui tient le serpent. Dans la mythologie grecque, Ophiuchus est Asclépios, un fils d'Apollon qui sait soigner par les plantes, grâce au serpent. Célèbre pour ce savoir, Asclépios (Esculape chez les Romains) est maintenant le patron de la médecine.

Le Sagittaire

Elle est située très au sud, dans une très belle région du ciel, là où la Voie lactée est large et plus dense qu'ailleurs. Ce qui est normal car, en fait, tu regardes vers le centre de ta galaxie. Aux jumelles, par une nuit noire, tu auras l'impression de plonger dans un nuage d'étoiles... Toute cette région contient de nombreux amas d'étoiles observables avec des jumelles puissantes.

Cette constellation très ancienne est représentée par un archer mi-homme, mi-cheval.
Pour de nombreux peuples, c'est la porte de l'au-delà, gardée par de redoutables guerriers. Pour les Anglo-Saxons, grands buveurs de thé, elle est une théière.

Nébuleuse Trifide (M 20)

M 22

Écliptique

M 8

LE SAGITTAIRE

L'amas globulaire M 22 se trouve à l'est de Kaus borealis. Il est riche de plusieurs millions d'étoiles et il est superbe aux jumelles.

Avec tes jumelles, tu verras, juste au-dessus de M 8, la nébuleuse Trifide (M 20 dite du Trèfle). Elle est découpée en trois par de sombres nuages noirs de poussières visibles au télescope.

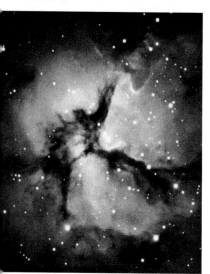

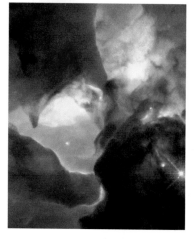

Cette nébuleuse, M 8 (dite de la Lagune), est comme un nuage de vapeur très lumineux s'échappant du bec de la théière. Elle brille de toutes les jeunes étoiles qu'elle contient.

MESURE LA MAGNITUDE DES ÉTOILES

Il y a 2 000 ans, Hipparque inventa la mesure de la luminosité des étoiles. À sa suite, avec un peu d'entraînement et grâce à cette carte, repère la différence de luminosité entre les étoiles, mesurée de 0 à 5. L'étoile la plus lumineuse, Véga, a la magnitude 0.

Compare les valeurs de cette carte avec celle de ton luminomètre (*voir p. 109*). Si la différence est nette, essaye de l'ajuster en ajoutant ou retirant des épaisseurs de Cellophane. Tu peux aussi chercher d'autres matériaux transparents : plastique, verre, etc.

Le Scorpion

C'est presque la seule constellation qui ressemble à son nom. Située à côté du Sagittaire, elle était à l'origine beaucoup plus grande. Mais les Babyloniens, voulant découper le zodiaque en 12 parties à peu près égales, lui coupèrent ses pinces, qui sont devenues la constellation de la Balance. Elle est facile à trouver, en direction du sud, grâce à son énorme étoile rouge, Antarès.

Écliptique

Ce scorpion est celui qu'Artémis, fille de Zeus, envoya pour tuer Orion qui lui avait manqué de respect. C'est pourquoi Orion disparaît à l'ouest dès que le Scorpion arrive à l'est.

Antarès

LE SCORPION

M 7

M 6

Un amas globulaire, **M 4**, se voit aux jumelles, à l'est d'Antarès.

Antarès est rouge comme un rubis. Son nom signifie rivale de Mars.

Au nord de la queue du Scorpion, observe aux jumelles deux beaux amas ouverts : **M 6**, l'amas du Papillon, et **M 7**.

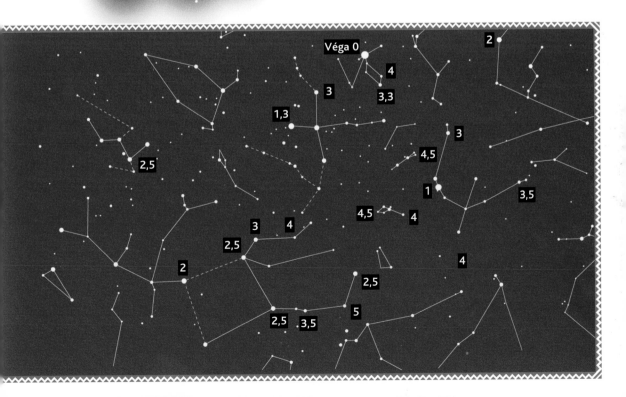

Véga 0
2
4
3
3,3
1,3
3
4,5
2,5
1
3,5
4,5
4
3 4
2,5
2
4
2,5
5
2,5 3,5

Le ciel d'automne

Dans le ciel d'automne, la Voie lactée culmine toute la nuit,
divisant pratiquement le ciel en deux parties égales. Les constellations
sont discrètes pour la plupart, difficiles à repérer
si le ciel n'est pas bien noir.

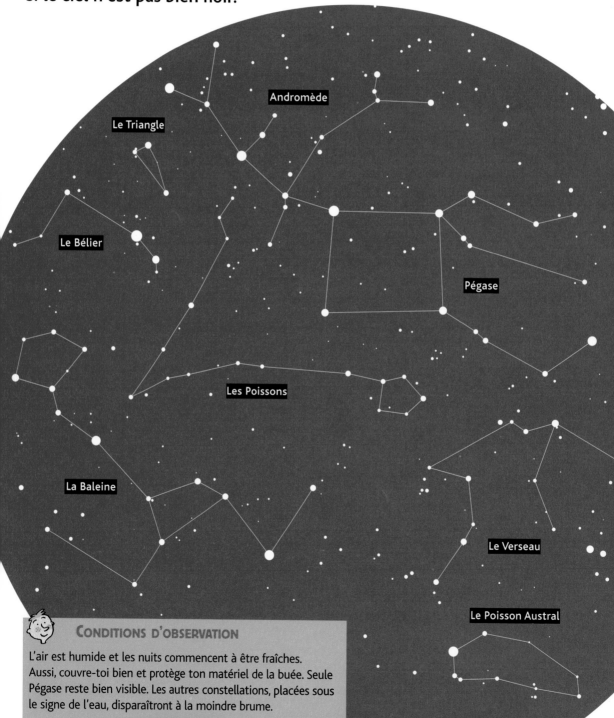

Andromède

Le Triangle

Le Bélier

Pégase

Les Poissons

La Baleine

Le Verseau

Le Poisson Austral

CONDITIONS D'OBSERVATION

L'air est humide et les nuits commencent à être fraîches.
Aussi, couvre-toi bien et protège ton matériel de la buée. Seule
Pégase reste bien visible. Les autres constellations, placées sous
le signe de l'eau, disparaîtront à la moindre brume.

Le ciel d'automne

L'automne est la saison où l'on voit le mieux **M 31** et **M 33**, les 2 objets les plus lointains de la Terre visibles à l'œil nu.

Le Verseau (Aquarius)

La jarre que porte le Verseau est représentée par un Y couché, à l'est de **Sadalmelek**, l'étoile la plus brillante de la constellation (mag. 2,9) ; la deuxième est **Sadalsud**. De la pointe de cet Y s'écoule une ligne d'étoiles en zigzag, vers **Fomalhaut**, du Poisson austral, qui représente l'eau qui s'écoule de la jarre dans la bouche du poisson.

Toute cette région du ciel représentait la mer pour les Mésopotamiens. À cette époque, le Soleil était dans la région d'Aquarius pendant la saison des pluies. C'est sans doute de là que vient l'image du Verseau, un homme versant de l'eau à partir d'une jarre.

Au-dessus de Sadalsud, on trouve facilement l'amas globulaire **M 2** (mag. 6,5).

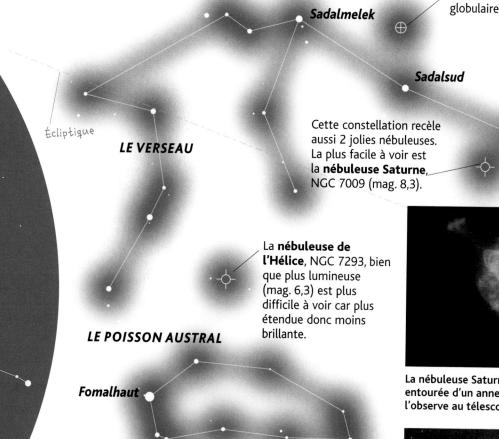

Sadalmelek

Sadalsud

Écliptique

LE VERSEAU

Cette constellation recèle aussi 2 jolies nébuleuses. La plus facile à voir est la **nébuleuse Saturne**, NGC 7009 (mag. 8,3).

La **nébuleuse de l'Hélice**, NGC 7293, bien que plus lumineuse (mag. 6,3) est plus difficile à voir car plus étendue donc moins brillante.

LE POISSON AUSTRAL

Fomalhaut

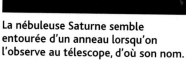

La nébuleuse Saturne semble entourée d'un anneau lorsqu'on l'observe au télescope, d'où son nom.

Si tu as la chance de regarder la nébuleuse de l'Hélice dans le télescope *Hubble*, voilà ce que tu verras…

Le Poisson austral

À l'exception de **Fomalhaut** (mag. 1,2), cette région du ciel est pauvre en étoiles brillantes, d'où sa réputation de « pauvre étoile solitaire ». Son nom vient de l'arabe et signifie « la bouche du poisson ». Le Poisson austral est censé boire l'eau que lui verse le Verseau… Pourtant, même les Anciens savaient que les poissons ne boivent pas d'eau !

Les Poissons

Quand le Soleil se couche en automne, les Poissons montent dans le ciel de l'est, tout près de l'équateur céleste.

Il faut une nuit bien noire pour les voir. Repère le carré de Pégase : les Poissons entourent son angle sud, formant un grand V, et semblent attachés par leurs queues avec une corde.

Pour les Grecs, ces 2 poissons représentaient Aphrodite et son fils Éros. Ils nageaient dans une rivière lorsqu'un monstre, Typhon, apparut. Ils lui échappèrent en se transformant en poissons. En souvenir de cet événement, ils furent mis au ciel.

La pointe du V est l'étoile la plus brillante des Poissons, **Alrescha** (la corde, en arabe).

LES POISSONS

Écliptique

Alrescha

LES ASTROLOGUES ONT TOUT FAUX !

Aujourd'hui, le Soleil est « dans » les Poissons, c'est-à-dire dans la même direction qu'eux dans le ciel, à l'équinoxe de printemps. Pourtant, on continue d'appeler cette position du Soleil « le premier point du Bélier », comme il y a 2 000 ans, lorsque le Soleil se levait dans le Bélier au printemps. C'est la précession de la Terre qui a déplacé ce point du Bélier vers la constellation voisine des Poissons. Mais les astrologues n'ont pas corrigé leurs cartes du ciel !

Le Bélier

Située à l'est du grand carré de Pégase, cette constellation n'est pas très brillante. Entre 1800 avant J.-C. et 1 après J.-C., le Soleil passait dans le Bélier à l'équinoxe de printemps. Les 2 étoiles **Mesarthim** et **Sheratan** étaient donc appelées « les 2 signes » (du printemps) par les Arabes.

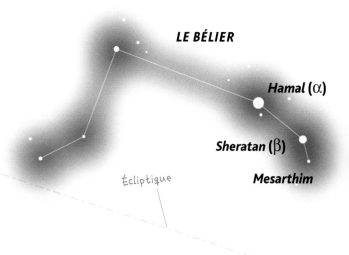

LE BÉLIER

Hamal (α)

Sheratan (β)

Mesarthim

Écliptique

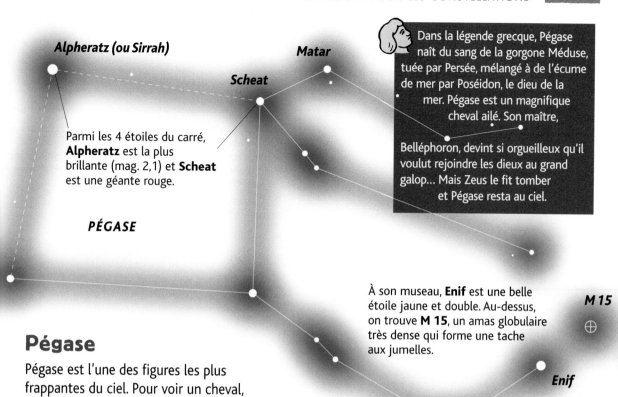

Alpheratz (ou Sirrah)

Matar

Scheat

Parmi les 4 étoiles du carré, **Alpheratz** est la plus brillante (mag. 2,1) et **Scheat** est une géante rouge.

PÉGASE

Dans la légende grecque, Pégase naît du sang de la gorgone Méduse, tuée par Persée, mélangé à de l'écume de mer par Poséidon, le dieu de la mer. Pégase est un magnifique cheval ailé. Son maître, Belléphoron, devint si orgueilleux qu'il voulut rejoindre les dieux au grand galop... Mais Zeus le fit tomber et Pégase resta au ciel.

À son museau, **Enif** est une belle étoile jaune et double. Au-dessus, on trouve **M 15**, un amas globulaire très dense qui forme une tache aux jumelles.

M 15

Enif

Pégase

Pégase est l'une des figures les plus frappantes du ciel. Pour voir un cheval, il faut te souvenir qu'un cheval ailé galope la tête en bas et les pattes en l'air. Évident ! En fait, **Alpheratz** appartient à la constellation d'Andromède qui forme l'une de ses pattes arrière.

Repère-toi dans le ciel

Sur Terre, on se repère grâce à des lignes imaginaires : la latitude et la longitude. Dans le ciel, on a la déclinaison et l'ascension droite. La déclinaison mesure la distance en degrés par rapport à l'équateur céleste (comme la latitude). L'ascension droite mesure la distance en heures par rapport à un méridien imaginaire (comme la longitude). Ces 2 lignes se croisent à un endroit appelé le point vernal. Actuellement, ce point 0 est juste en dessous de l'étoile Oméga (ω) des Poissons. La sphère céleste est divisée en 24 heures et en 180 degrés du nord au sud.

Dans le ciel du 15 novembre à 20 h 30.

1 Repère d'abord l'étoile Oméga des Poissons. Remonte jusqu'au carré de Pégase, repère Alpheratz, puis Scheat.

2 Plante un repère qui passe par Scheat. Et 1 h 05 plus tard, le repère sera devant Alpheratz.

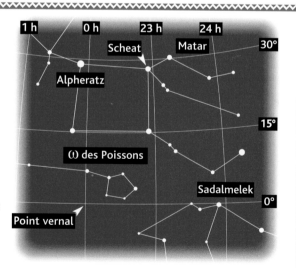

1 h 0 h 23 h 24 h 30°
Scheat Matar
Alpheratz
15°
ω des Poissons
Sadalmelek
0°
Point vernal

3 Ensuite repère Sadalmelek (Alpha du Verseau), puis Matar (dans la patte avant de Pégase).

4 Avec ton bâton de Jacob (*voir p. 40*), mesure la différence de hauteur dans le ciel entre ces 2 étoiles. Si tu trouves 30°, bravo !

Andromède

La constellation est facile à repérer en partant du carré de Pégase avec laquelle elle partage l'étoile **Alpheratz**. En fait, la principale ligne d'étoiles d'Andromède correspond à l'une des pattes arrière de Pégase.

Composée de plus de 300 milliards d'étoiles, la galaxie d'Andromède (M 31) est plus grande que la Voie lactée. Aux jumelles, on voit bien sa forme ovale, avec son noyau très lumineux, mais on ne distingue la forme de ses bras en spirale qu'avec un gros télescope.

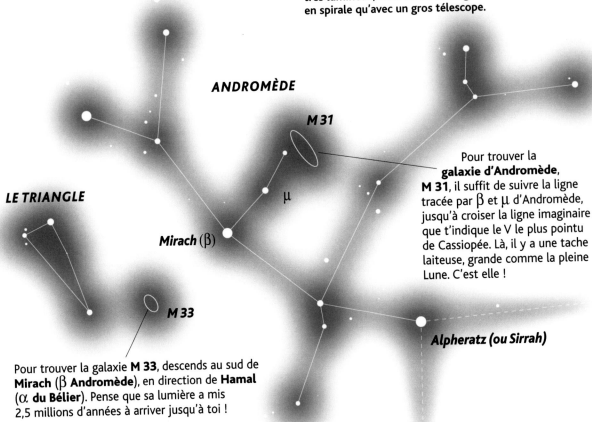

ANDROMÈDE

M 31

LE TRIANGLE

μ

Mirach (β)

M 33

Alpheratz (ou Sirrah)

Pour trouver la **galaxie d'Andromède**, **M 31**, il suffit de suivre la ligne tracée par β et μ d'Andromède, jusqu'à croiser la ligne imaginaire que t'indique le V le plus pointu de Cassiopée. Là, il y a une tache laiteuse, grande comme la pleine Lune. C'est elle !

Pour trouver la galaxie **M 33**, descends au sud de **Mirach** (β **Andromède**), en direction de **Hamal** (α **du Bélier**). Pense que sa lumière a mis 2,5 millions d'années à arriver jusqu'à toi !

Le Triangle

Pour les astronomes, le Triangle est l'endroit où l'on a, pour la première fois, découvert un astéroïde, Cérès, en 1801. Le Triangle est entre le pied d'Andromède et le Bélier.

Andromède était la fille de Cassiopée et de Céphée. Pour punir sa mère de sa vanité, elle fut condamnée par les dieux à être dévorée par le monstre marin Cétus : la Baleine. Persée la sauva en brandissant devant Cétus la tête de la gorgone Méduse qu'il venait de tuer. Le monstre fut changé en pierre. Persée délivra Andromède et l'épousa. Puis tous furent réunis dans le ciel.

La galaxie M 33 est plus petite et encore plus éloignée que la galaxie d'Andromède, donc moins brillante. Elle est visible aux jumelles mais, comme on la voit de face, elle est plus difficile à repérer.

LA BALEINE

Mira

La Baleine

Elle est célèbre pour son étoile principale, **Mira**. C'est la première étoile variable qui fut découverte, en 1596. Au cours d'un cycle de 332 jours, elle passe de la mag. 2-3 à la mag. 10. Cette étoile rouge géante pulse comme un cœur qui bat. À son maximum, elle est facile à repérer grâce à cette couleur rouge.

τ **Ceti** est une étoile apparemment bien ordinaire. En fait, cette sœur jumelle du Soleil est l'une des étoiles les plus proches de la Terre. On pense qu'elle pourrait aussi avoir son cortège de planètes, et pourquoi pas une jolie planète bleue ?

τ

À l'aide de radiotélescopes très puissants, le programme SETI (Recherche d'intelligence extraterrestre) écoute le ciel à la recherche d'autres civilisations dans l'Univers. τ **Ceti** est sa première cible.

Écoute le ciel

Pour écouter le ciel, il faut de grandes antennes qui permettent de collecter les signaux radio. Construis, toi aussi, une antenne très efficace.

1 Tapisse l'intérieur d'un parapluie de feuilles d'aluminium.

2 Cherche avec ta radio une station (AM) si faible que tu as du mal à l'entendre, même en orientant au mieux le poste.

3 Place alors le parapluie derrière la radio en modifiant son orientation lentement, jusqu'à trouver la meilleure position. Note la direction d'où viennent les ondes radio, puis recommence pour d'autres stations faiblement perçues. Le signal ne vient pas toujours du même endroit car les émetteurs sont situés dans des lieux différents.

4 Inversement, place-toi avec ton parapluie devant la radio quand elle reçoit une station avec netteté. Tu auras alors du mal à la capter.

- Parapluie
- Rouleau d'aluminium
- Poste de radio

Le ciel d'hiver

L'hiver, la nuit tombe tôt et, quand tu te lèves, il fait encore nuit.
Les jours sont courts, cela signifie donc que les nuits sont très longues...
Alors, si tu es rusé, l'hiver deviendra la saison idéale pour chercher
les planètes et explorer
le ciel de nuit.

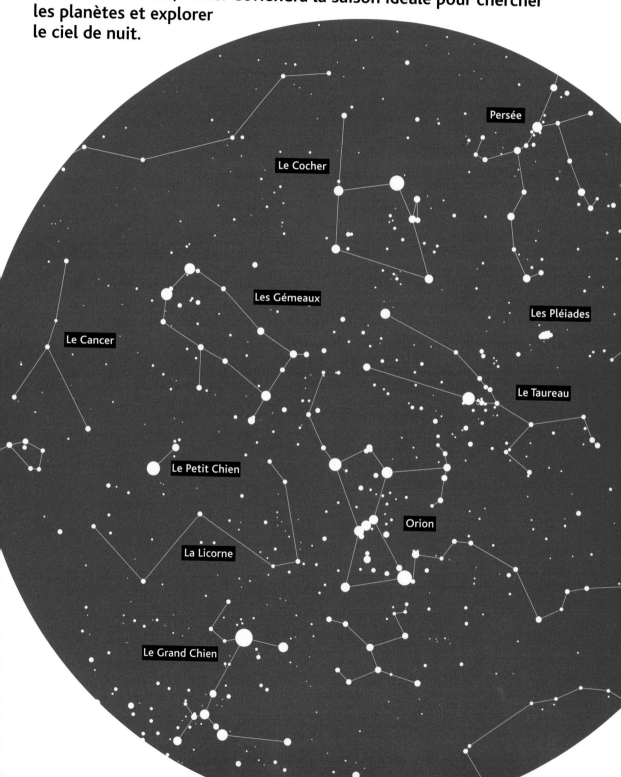

Persée

Le Cocher

Les Gémeaux

Les Pléiades

Le Cancer

Le Taureau

Le Petit Chien

Orion

La Licorne

Le Grand Chien

Le ciel d'hiver

La constellation d'Orion, celle du Grand Chasseur, domine majestueusement le ciel. Elle est un bon point de repère pour observer toutes les autres, dans un ciel riche en étoiles très brillantes. On y trouve aussi la plus belle nébuleuse diffuse (celle d'Orion), plusieurs autres nébuleuses (véritables berceaux où naissent les étoiles) et de très beaux amas d'étoiles.

OBSERVE LA COULEUR DES ÉTOILES

La nuit, l'œil ne différencie pas bien les couleurs (tous les chats sont gris !) car les cellules de l'œil qui analysent la couleur sont moins sensibles que celles qui « voient » en noir et blanc.

Pour observer les couleurs des étoiles, il faut donc être habitué à la vision nocturne et que la nuit soit bien noire. Le plus facile est de comparer des étoiles de couleurs différentes assez proches : dans le ciel d'hiver, autour d'Orion (photo ci-dessous), c'est idéal. Mais il y a, en toutes saisons, des étoiles de couleurs différentes.

CONDITIONS D'OBSERVATION

Comme les nuits sont parfois très froides, il vaut mieux ne pas rester très longtemps dehors, même bien couvert. Mais lorsqu'il fait bien froid, l'air est plus sec, plus transparent, et les étoiles semblent briller plus fort !

EXEMPLES EN HIVER

Rigel, l'étoile la plus brillante d'Orion, est bleu pâle.

Bételgeuse est rouge orangé.

Dans le Taureau, **Aldébaran** est un peu plus orangée que Bételgeuse.

Plus haut, **Capella**, dans le Cocher, est d'un beau jaune.

Sous Orion, il y a **Sirius**, dans le Grand Chien, très lumineuse et d'un blanc très pur.

CONSEILS

Observe les étoiles quand elles sont hautes dans le ciel car, si elles sont basses sur l'horizon, elles deviennent rouges, comme le Soleil au lever ou au coucher. L'atmosphère doit être stable pour que les étoiles ne scintillent pas trop. Prends tes jumelles : cela permet à ton œil de recevoir plus de lumière et donc de mieux différencier les couleurs.

Orion, la constellation du Chasseur

C'est la plus belle des constellations de l'hiver. Elle est facilement repérable en direction du sud, grâce à la ligne parfaite des 3 étoiles du « Baudrier » d'Orion, la ceinture du chasseur (qu'on appelle aussi les Rois mages).

Orion était le fils de Poséidon, le dieu de la mer. C'était le plus beau et le plus grand des hommes, capable de marcher sur les fonds marins, sa tête dépassant des flots. Comme il se vantait d'être invincible, Héra, la femme de Zeus, lui envoya un scorpion qui le piqua et le tua. C'est la raison pour laquelle la constellation d'Orion ne se lève pas avant que celle du Scorpion se couche...

Bételgeuse (l'épaule du géant), une étoile supergéante plus de 500 fois plus grosse que le Soleil, brille d'un éclat rouge.

ORION

Bételgeuse

Bellatrix

Toute la constellation est formée d'étoiles brillantes. Seul le Bouclier du Chasseur est difficile à voir.

En dessous d'**Alnitak**, une nébuleuse est juste visible aux jumelles : c'est **IC 434**, la célèbre **nébuleuse de la Tête de cheval**.

Mintaka

Mintaka est située exactement sur l'équateur céleste.

Alnitak

IC 434

Rigel est aussi une étoile extrêmement brillante, bien qu'elle soit plus petite que Bételgeuse.

M 42

Rigel

Sous le Baudrier, on voit à l'œil nu une tache floue : c'est **M 42**, la **Grande Nébuleuse d'Orion**, qu'on appelle parfois l'Épée d'Orion.

Le nuage gazeux en forme de tête de cheval dans la nébuleuse IC 434 n'est visible qu'avec un gros télescope. Dommage !

Un peu d'histoire

Les Égyptiens étaient de très bons astronomes et utilisaient les calculs astronomiques pour construire leurs monuments.

Dans la grande pyramide de Gizeh, deux conduits rectilignes partent de la chambre du pharaon. On a longtemps cru qu'ils servaient à l'aération mais l'égyptologue Robert Bauval a montré que l'un pointait vers Thuban (l'étoile Polaire de l'époque), et l'autre vers Orion. Ces conduits permettaient les voyages de l'âme du pharaon. De la même façon, un conduit va de la chambre de la reine vers Sirius, qui représentait Isis, l'épouse du roi des dieux, Osiris.

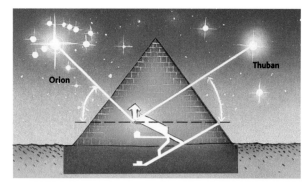

L'âme du pharaon devait rejoindre Thuban, pour régler la nuit et envoyer les heures sur la Terre, et aussi Orion, qui représentait le dieu Osiris, pour l'aider à maintenir le cycle des saisons.

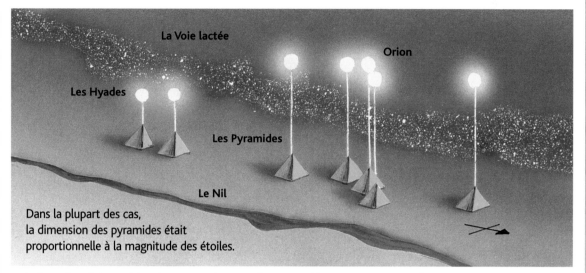

Dans la plupart des cas, la dimension des pyramides était proportionnelle à la magnitude des étoiles.

Le long du Nil, la position des pyramides reproduit celle des étoiles d'Orion et du Taureau par rapport à la Voie lactée, car les Égyptiens voulaient que leur royaume fût une image des cieux sur Terre.

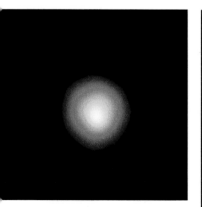

Pour la première fois, la surface d'une étoile a pu être photographiée. Bételgeuse n'est plus seulement un point lumineux. On y découvre sa forme sphérique et son atmosphère.

La nébuleuse d'Orion est une nébuleuse diffuse, illuminée de l'intérieur par les jeunes étoiles qui y sont nées. Elle est visible aux jumelles mais c'est avec un télescope qu'elle est vraiment splendide.

La constellation du Taureau avec les Hyades et les Pléiades

Depuis des temps très anciens, le taureau était le symbole de la vitalité du printemps. Or, de 4000 à 1700 avant J.-C., le Soleil résidait dans cette constellation au moment de l'équinoxe vernal, le premier jour du printemps. On l'appela donc la constellation du Taureau.

Dans la mythologie grecque, le taureau était identifié à Zeus, dont la vitalité amoureuse était connue. La légende raconte qu'il traversa la mer sous forme de taureau avec la belle Europe sur son dos.

Les deux autres étoiles les plus lumineuses de la constellation, au bord de la Voie lactée, représentent les 2 pointes des longues cornes.

Les Pléiades forment un amas très brillant car plus serré que les Hyades. Les Pléiades forment l'épaule du Taureau. C'est un amas ouvert de quelques centaines d'étoiles, nées du même nuage de gaz et de poussières.

LES PLÉIADES

LE TAUREAU

Écliptique

LES HYADES

Aldébaran

L'étoile la plus brillante, **Aldébaran**, est l'œil du taureau. En arabe, son nom signifie « le suiveur » car il poursuit les Hyades. En réalité, les Hyades sont 2 fois plus loin de nous qu'Aldébaran.

Invente tes constellations

Quand tu regardes le ciel, les étoiles dessinent des formes. Au cours des siècles, les Grecs, les Chinois, les Indiens, tous les hommes y ont vu des animaux, y ont lu des histoires extraordinaires. Alors pourquoi pas toi ? Donne un nom aux étoiles, invente des récits. Dessine-les et écris leur histoire pour en garder la trace : le ciel t'appartient !

Les Hyades sont un amas ouvert situé à 130 années-lumière. Sa forme en V est nettement visible à l'œil nu. Aux jumelles, on voit des dizaines d'étoiles. La plus brillante est **Thêta**, d'un bel éclat blanc, qui contraste avec son compagnon orangé.

Pour les Indiens *mono* (Amérique du Nord), les Pléiades sont 6 femmes qui ont mangé de l'oignon. Les Hyades représentent leurs maris qui se tiennent à distance !

Les Pléiades

Les Pléiades sont des étoiles très jeunes (d'à peine 10 millions d'années !) et l'on voit encore les voiles de gaz qui les entourent.

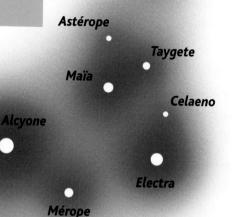

Astérope

Taygete

Maïa

Celaeno

Pléione

Alcyone

Atlas

Electra

Mérope

LES PLÉIADES

Une légende raconte que les Pléiades sont 7 sœurs : 6 sont visibles, mais l'une d'elles, Mérope, reste cachée, honteuse d'avoir épousé un mortel. Les Pléiades sont souvent associées à la mort car elles sont bien visibles vers la mi-novembre, période où l'on honore les morts.

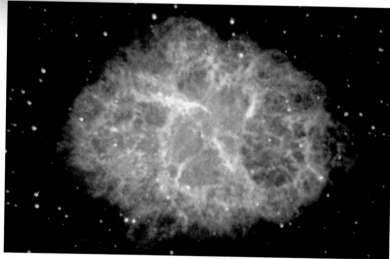

Visible seulement avec un télescope, la nébuleuse du Crabe est formée des restes de l'explosion d'une supernova en 1054, mentionnée dans les écrits chinois. Elle donna à Charles Messier (chasseur de comètes) l'idée de faire un catalogue des objets que l'on pouvait confondre avec des comètes.

Mesure la qualité du ciel avec les Pléiades

Si le ciel est de bonne qualité, tu distingueras **Pléione** et **Atlas**, les parents, et tu verras les 2 étoiles les plus faibles : **Celaeno** et **Astérope**, ainsi que 2 autres étoiles de l'amas, qui n'ont pas de nom sur le schéma ci-dessus mais sont aussi brillantes. Avec un petit télescope, on distingue plus de 80 étoiles dans l'amas des Pléiades.

EXTRAITS DU CATALOGUE DE MESSIER

La nébuleuse du Crabe, **M 1** (M comme Messier), est le premier objet parmi les 110 du catalogue. En voici quelques autres.

M 1	Nébuleuse du Crabe	**M 5**	Amas globulaire du Serpent
M 2	Amas globulaire du Verseau	**M 6**	Amas globulaire du Scorpion
M 3	Amas globulaire des Chiens de chasse	**M 7**	Amas globulaire du Scorpion
		M 8	Nébuleuse de la Lagune
M 4	Amas globulaire du Scorpion	**M 9**	Amas globulaire d'Ophiucus

Le Grand Chien

Cette constellation contient l'étoile la plus brillante du ciel, Sirius (mag. – 1,5). C'est l'étoile de l'hémisphère Nord la plus proche de la Terre, à 8,6 années-lumière, et elle brille comme un diamant dans le ciel d'hiver.

 Dans la mythologie grecque, les chiens étaient les compagnons d'Orion, le chasseur. Une autre légende les place aux côtés d'Artémis, la déesse de la chasse, ou près de la belle Hélène de Troie.

UN PEU D'HISTOIRE

Il y a 5 000 ans, en Égypte, **Sirius** était adorée comme l'étoile du Nil. On pensait que, chaque été, son arrivée dans le ciel avant l'aube annonçait les crues bienfaitrices du Nil.

Sirius appartient à une ligne formée de 3 étoiles. Celle située à l'ouest (mag. 2) s'appelle **Mirzam** l'« annonciateur », car elle se lève juste avant Sirius. Dans le train arrière du Chien, il y a un triangle d'étoiles : **Adhara**, **Aludra** et **Wesen**.

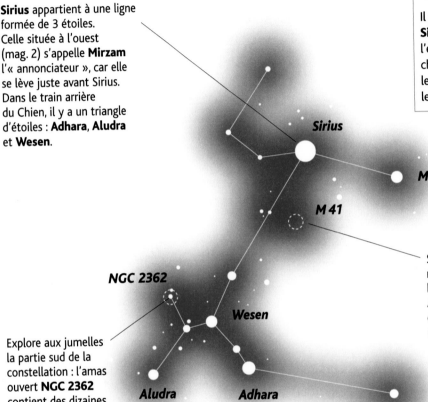

Si la nuit est belle, on voit à l'œil nu l'amas ouvert **M 41**, situé sur la ligne entre Sirius et ce triangle. Aristote le mentionne en 325 avant J.-C. comme un mystérieux nuage céleste.

Explore aux jumelles la partie sud de la constellation : l'amas ouvert **NGC 2362** contient des dizaines de jeunes étoiles.

LE GRAND CHIEN

 DICO

Canicule, moment très chaud de l'été, veut dire « jours du chien » (en latin, chien se dit *canis*). Car Sirius, de la constellation du Chien, se lève au cœur de l'été juste avant le Soleil. Dans l'Antiquité, on pensait que la lumière combinée de Sirius et du Soleil créait cette chaleur excessive.

Sirius, l'étoile la plus brillante

Le nom de Sirius vient du grec et veut dire « celle qui tremble ». Cette étoile double scintille beaucoup car elle brille très fort et parce qu'elle est souvent basse sur l'horizon, traversant plus d'atmosphère que la plupart des étoiles. Cela lui donne des couleurs différentes alors que, vue de l'espace, elle serait blanche. Le compagnon de Sirius, Sirius B (surnommé le Chiot), est la première naine blanche qui ait été découverte, en 1862.

Le Petit Chien

Cette petite constellation est séparée du Grand Chien par la Licorne.

Procyon

Procyon signifie « avant le Chien » car cette étoile se lève juste avant Sirius. Cette géante jaune a joué un grand rôle dans l'histoire de l'astronomie. En 1718, Edmond Halley (qui a donné son nom à la comète) remarqua que Procyon, Sirius et Arcturus n'étaient pas à la même place que dans les cartes des astronomes de la Grèce antique.

LES 10 ÉTOILES LES PLUS BRILLANTES DE L'HÉMISPHÈRE NORD

Rang	Étoile	Constellation	Magnitude
1	Sirius	Grand Chien	− 1,46
2	Arcturus	Bouvier	− 0,04
3	Véga	Lyre	+ 0,03
4	Capella	Cocher	+ 0,08
5	Rigel	Orion	+ 0,12
6	Procyon	Petit Chien	+ 0,38
7	Bételgeuse	Orion	+ 0,5
8	Altaïr	Aigle	+ 0,77
9	Aldébaran	Taureau	+ 0,85
10	Antarès	Scorpion	+ 0,9

La Licorne

Difficile à repérer, la Licorne n'est formée que d'étoiles peu lumineuses. Par contre, elle possède de très beaux amas. Le plus spectaculaire est l'Arbre de Noël, **NGC 2264**, situé aux pieds de Pollux et qui est associé à la belle **nébuleuse du Cône** (mag. 3,9).

NGC 2264

Un grand télescope révèle une superbe nébuleuse : la Rosette.

Nébuleuse du Cône

LA LICORNE

M 50

M 47

M 46

Aux jumelles, on voit **M 46** et **M 47** au sud et **M 50** un peu plus haut.

Offre une étoile

Le ciel est à tout le monde, donc il t'appartient un peu... Alors tu pourrais en offrir un petit morceau à quelqu'un que tu aimes bien. Personne ne t'en voudra ! Repère une constellation et donne un nom à une étoile facile à retrouver. Dessine son emplacement et offre-la. Une idée de cadeau originale !

Persée

Persée est une figure en forme de J
qui traverse en diagonale la Voie lactée.

Persée est un héros qui tua
la gorgone Méduse, aidé des
dieux Athéna et Hermès. Il sauva
Andromède d'un horrible monstre.
Le héros et la princesse tombèrent
amoureux, et eurent beaucoup de
descendants, dont Héraclès. À sa
mort, Persée fut mis au ciel à côté
de son épouse.

Le double amas de Persée. Chacun de ces
amas contient plus de 150 étoiles jeunes.

L'étoile la plus brillante
de Persée est **Mirphak**
(mag. 1,9). Aux jumelles,
on la voit entourée d'un
groupe d'étoiles bleutées.

Par nuit noire, à l'œil nu,
découvre le fameux
double amas de Persée,
situé entre la pointe nord
de Persée et Cassiopée.

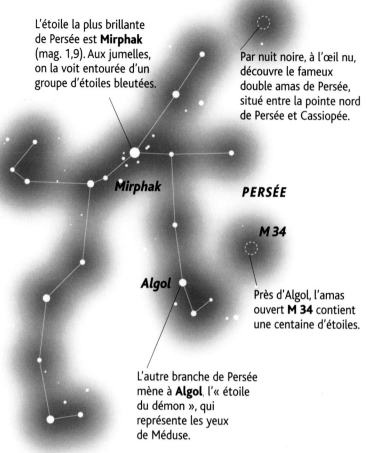

Mirphak

PERSÉE

M 34

Algol

Près d'Algol, l'amas
ouvert **M 34** contient
une centaine d'étoiles.

L'autre branche de Persée
mène à **Algol**, l'« étoile
du démon », qui
représente les yeux
de Méduse.

Le Cocher

Le Cocher est très visible dans
le ciel d'hiver. On y trouve la 6e étoile
la plus brillante du ciel, **Capella**
ou la Chèvre, visible toute l'année,
à un moment ou un autre de la nuit.

Capella

LE COCHER

M 38

M 36

M 37

Au sud-ouest de
Capella, tu verras
un triangle
d'étoiles, **les
Chevreaux**, et
au bord de la Voie
lactée, 3 beaux
amas ouverts
visibles
aux jumelles :
M 36, 37
et **38**.

Mesure la période d'Algol

Algol est composée de 2 étoiles dont la
luminosité varie en 68 heures de mag. 2,2 à 3,4.
Cette variation est due au passage de l'étoile
la plus faible devant la plus brillante, et dure
10 heures. Pour voir la variation, il suffit
de comparer Algol aux étoiles qui l'entourent
pendant une semaine. À son maximum, presque
aussi brillante que Mirphak, Algol est très facile
à repérer. Avec ton luminomètre et la carte, note
la magnitude d'Algol chaque jour à la même
heure pendant une semaine.

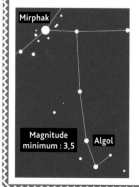

Mirphak

Magnitude
minimum : 3,5   Algol

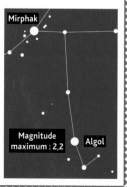

Mirphak

Magnitude
maximum : 2,2   Algol

Les Gémeaux

Castor et **Pollux** sont très éloignées dans l'espace. Castor (mag. 1,6) est à 46 années-lumière de la Terre alors que Pollux, la plus brillante (mag. 1,1), n'en est qu'à 35. Aux pieds de Castor, un amas ouvert, **M 35**, est dans la Voie lactée.

Pour les Grecs, Castor et Pollux étaient des jumeaux, fils de Zeus. Seul Pollux était immortel. Comme ils ne voulaient pas se séparer, ils allèrent ensemble tantôt au royaume des morts, tantôt sur l'Olympe. Puis Zeus les plaça dans le ciel, où ils forment cette constellation.
Gémeaux signifie « jumeaux » en ancien français.

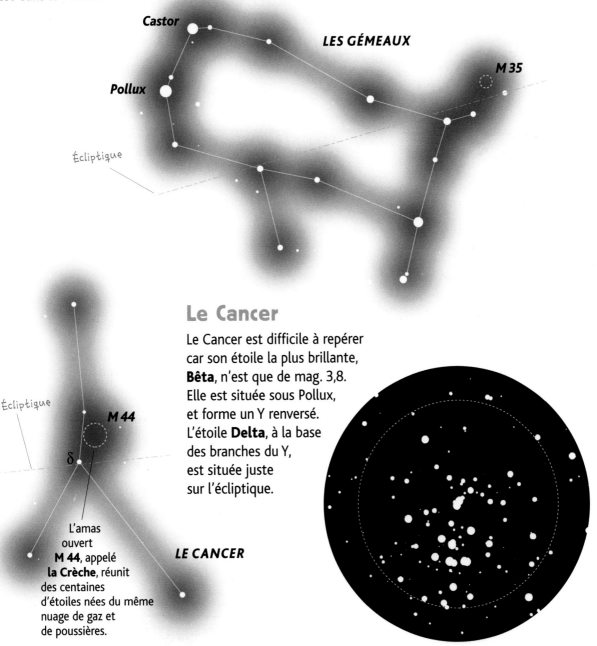

Castor

Pollux

Écliptique

LES GÉMEAUX

M 35

Le Cancer

Le Cancer est difficile à repérer car son étoile la plus brillante, **Bêta**, n'est que de mag. 3,8. Elle est située sous Pollux, et forme un Y renversé. L'étoile **Delta**, à la base des branches du Y, est située juste sur l'écliptique.

Écliptique

M 44

δ

L'amas ouvert **M 44**, appelé **la Crèche**, réunit des centaines d'étoiles nées du même nuage de gaz et de poussières.

LE CANCER

Le Cancer (« crabe » en latin) doit son nom à un crabe qu'Héraclès aurait écrasé par mégarde au cours d'une bataille et qui fut envoyé dans le ciel.

C'est Galilée qui découvrit que la Crèche était un amas d'étoiles ; il en compta 36 avec sa lunette. Avec des jumelles, on en voit parfois des centaines. Les Anciens s'en servaient pour prévoir le temps. S'il était invisible, c'était signe de pluie.

Le ciel de printemps

Quand les constellations de l'hiver sont hautes à l'ouest en début de soirée,
celles du printemps arrivent progressivement à l'est. Alors des étoiles
très brillantes s'assemblent et resplendissent comme un vrai bijou :
on l'appelle le diamant
de la Vierge...

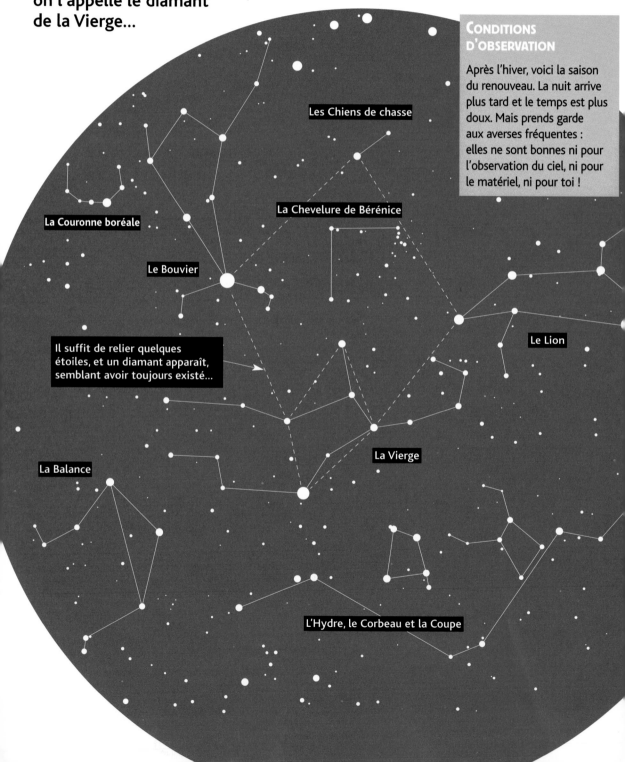

CONDITIONS D'OBSERVATION

Après l'hiver, voici la saison du renouveau. La nuit arrive plus tard et le temps est plus doux. Mais prends garde aux averses fréquentes : elles ne sont bonnes ni pour l'observation du ciel, ni pour le matériel, ni pour toi !

Les Chiens de chasse

La Chevelure de Bérénice

La Couronne boréale

Le Bouvier

Il suffit de relier quelques étoiles, et un diamant apparaît, semblant avoir toujours existé...

Le Lion

La Balance

La Vierge

L'Hydre, le Corbeau et la Coupe

Le Lion

Le Soleil passe dans la constellation du Lion entre le 10 et le 16 septembre. Mais dans l'Antiquité, le Soleil passait dans cette constellation au moment du solstice d'été. C'est peut-être pour cette raison que cette constellation a reçu le nom du roi des animaux, un lion féroce pour faire pendant à la chaleur intense du Soleil d'été.

L'arrière-train du Lion est marqué par un triangle d'étoiles ; la plus brillante, **Denebola**, représente la queue.

LE LION

Algieba

La deuxième étoile la plus brillante est **Algieba** (ce qui signifie « la crinière du lion » en arabe), une étoile double d'un beau jaune.

Denebola

Régulus

Écliptique

Pour les Grecs anciens, le Lion était le lion de Némée, fils de Zeus et de Séléné, la déesse-Lune. C'était une créature magique à la peau impénétrable, qui ne pouvait pas être vaincu par un humain. La tâche de tuer ce lion revint à Heraclès dont ce fut le premier des 12 travaux.

L'étoile la plus brillante est **Régulus**, (mag. 1,4). On l'appelle aussi Cor Leonis : le « cœur du Lion ». Régulus est très près de l'écliptique, ce qui fait que la Lune et les planètes passent souvent devant.

L'Hydre, le Corbeau et la Coupe

L'Hydre est la constellation la plus étendue du ciel. Elle s'étend sur presque 1/3 de la sphère céleste.

Sur le dos de l'Hydre, **Crater**, la Coupe, et **Corvus**, le Corbeau.

La tête principale de l'Hydre est formée de 5 étoiles.

Alphard

LA COUPE

L'étoile la plus brillante est **Alphard**, une géante jaune, au milieu du cou du monstre.

L'HYDRE

LE CORBEAU

L'hydre fut tuée par Héraclès au cours de ses fameux 12 travaux. Elle avait de nombreuses têtes mais la tête centrale était immortelle. Chaque fois qu'Héraclès coupait une tête, deux autres repoussaient...

La Balance

Le mot zodiaque signifie
le « chemin des animaux ».
Une seule des constellations
du zodiaque n'est pas
un animal ou un humain,
c'est la Balance. Pour
les Grecs, elle n'existait
pas et formait les pinces
du Scorpion.

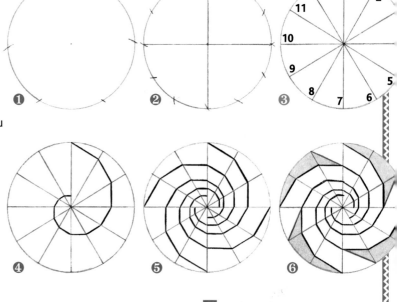

Écliptique

LA BALANCE

β

La pince du nord
du Scorpion, β,
est la plus brillante
(mag. 2,6). De plus,
elle est une des rares
étoiles à apparaître
verte.

LE SCORPION

Le nom de balance vient
du fait que, dans
l'Antiquité, le Soleil y passait
quand les jours et les nuits
étaient d'égale longueur. Cette
notion de balance, pesant
le poids des jours, se retrouve
dans différents pays.

Dessine une galaxie

1 Trace un cercle de 6 cm de rayon
environ. Reporte le rayon 6 fois
sur le cercle à l'aide de ton compas.

2 Trace un diamètre puis
un 2e diamètre perpendiculaire
au 1er avec ton équerre.

3 Reporte 6 fois le rayon de nouveau
sur le cercle, à partir de ce diamètre.
Trace les 4 autres diamètres et
numérote les points sur le cercle
de 1 à 12.

4 Avec ton équerre, trace une
ligne qui part du point 1 vers
le rayon 2. Ensuite, prolonge-la par
une ligne perpendiculaire au rayon 3,
et ainsi de suite jusqu'à ce que
tu arrives au centre du cercle.

❶ ❷ ❸

12 1 2
11
10
9
8 7 6 5

❹ ❺ ❻

● compas
● équerre

5 Fais la même chose en partant
du point 4, puis du point 7 et enfin
du point 10.

6 Prolonge les spirales vers
les points 3, 6 et 9 comme sur
le dessin. Il ne te reste plus qu'à
colorier ta galaxie.

Situé à la limite de la constellation de la Chevelure de Bérénice, M 100 est une superbe galaxie spirale qui fait partie de l'amas de la Vierge.

La légende de cette constellation vient d'Égypte. La reine Bérénice fut folle de chagrin lorsque son époux partit combattre les Syriens. Elle jura de sacrifier ses beaux cheveux à la déesse de la beauté si son mari revenait indemne de la guerre.

La Vierge

Cette constellation recèle des trésors pour l'astronome amateur : c'est le royaume des galaxies. Elles sont si nombreuses qu'elle forme l'**amas de galaxies de la Vierge**.

Dans les cartes anciennes, la Vierge tient de l'avoine dans ses bras. Les Égyptiens croyaient que ces grains d'avoine étaient transformés en une myriade d'étoiles formant la Voie lactée.

La Chevelure de Bérénice

Cette constellation, proche du zénith au printemps, n'est pas très visible. Elle était cependant connue par les Anciens comme « les nombreuses étoiles ».

LA CHEVELURE DE BÉRÉNICE

À mi-chemin entre la queue du Lion et l'extrémité de la poignée de la Casserole, ces étoiles de la Chevelure de Bérénice, nées du même nuage de gaz et de poussières, forment en fait un amas ouvert. C'est l'un des rares amas ouverts visibles à l'œil nu.

M 100

Au nord, on trouve de nombreuses galaxies qui renferment chacune des centaines de milliards d'étoiles. C'est l'**amas de galaxies de la Vierge**.

Écliptique

Spica

Spica est une étoile blanc bleuté très brillante (mag. 1), dont le nom veut dire « épi d'avoine ». C'est une étoile binaire dont les 2 partenaires, très proches, font une révolution, l'un autour de l'autre, en 4 jours. Spica est la seule étoile brillante de la constellation de la Vierge.

Le Bouvier

Cette constellation est très facile à repérer, avec sa forme
en cerf-volant ou en cornet à glace. **Arcturus**, l'étoile
la plus brillante, est dans le prolongement de la queue
de la Grande Ourse. Le nom de cette constellation
a au moins 3 000 ans ! Pour les Égyptiens,
le Bouvier était censé garder la Grande Ourse.

Dans la mythologie grecque,
l'histoire du bouvier est une
des plus tristes. Le bouvier avait
appris à fabriquer le vin avec
Dionysos, le dieu du vin. Ce qui
ne lui attira que des malheurs !

LE BOUVIER

Arcturus est la 4e étoile
la plus brillante du ciel,
avec une mag. de − 0,04.
C'est une géante rouge,
de couleur orangée.
Les Indiens du Nord-
Ouest la nommaient
l'Œil du coyote. Elle
n'est devenue visible
à l'œil nu qu'il y a
500 000 ans et
disparaîtra de notre ciel
dans un autre demi-
million d'années.

Isar

Le Bouvier comprend
plusieurs étoiles doubles
dont **Isar**, visible aux
jumelles.

Arcturus

M 51, ou la galaxie du Tourbillon (*Whirlpool galaxy*),
est la première galaxie spirale jamais observée.

Les Chiens de chasse

Les Chiens de chasse poursuivent la Grande
Ourse, et sont situés juste en dessous de la queue
de la Casserole. On y trouve une étoile brillante,
Cor Caroli (mag. 3), qui est une vraie binaire.

*Alkaïd (étoile
de la queue de
la Grande Ourse)*

M 51

L'objet le plus spectaculaire des Chiens
de chasse, ce n'est pas une étoile, mais une
galaxie, **M 51**, identifiée en octobre 1773 par
Messier dans son catalogue de tous les objets
que l'on pouvait confondre avec les comètes.

LES CHIENS DE CHASSE

Cor Caroli

La Couronne boréale

Lorsque la nuit est bien noire, tu découvres alors sa forme régulière de diadème.

R Coronae est une étoile variable irrégulière. Visible à l'œil nu (mag. 6), elle n'est visible qu'aux jumelles pendant quelques mois, puis elle réapparaît. C'est une étoile supergéante en fin de vie. Son atmosphère est composée de carbone. Parfois des nuages de carbone solide la masquent.

 Pour les Indiens *Blackfoot*, c'est le dieu Araignée qui surveille la Terre depuis sa toile. Pour descendre sur Terre, elle utilise la Voie lactée. Pour les Grecs, c'était la couronne qu'Héphaïstos avait offerte à Ariane, la fille de Minos, dont le fil avait permis à Thésée de sortir du fameux labyrinthe.

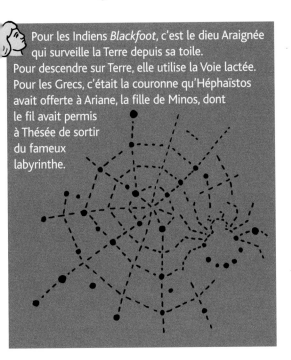

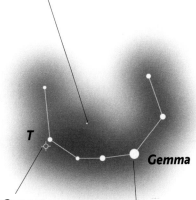

T

Gemma

Pour **T Coronae**, c'est l'inverse : invisible, elle devient aussi brillante que Gemma.

L'étoile la plus brillante, α Coronae, est appelée **Gemma**, la « perle ».

Mesure la hauteur des étoiles

Lorsqu'une étoile est basse sur l'horizon, sa lumière traverse une couche d'air plus importante que lorsqu'elle est au zénith : son image est brouillée. Donc, observe les astres quand ils sont hauts dans le ciel.

1 Choisis une étoile que tu sauras repérer facilement : Altaïr de l'Aigle ou Deneb du Cygne.

2 Au mois de juin, cherche-la, tôt dans la soirée, pour qu'elle soit encore basse dans le ciel. Avec ton bâton de Jacob, mesure sa hauteur sur l'horizon. Note-la, ainsi que la date, l'heure et les conditions météo.

3 Avec ton luminomètre, mesure sa magnitude et note-la.

- Bâton de Jacob (*voir p. 40*)
- Luminomètre (*voir p. 109*)
- Carte du ciel
- Calepin d'observation

4 Refais ces mesures 1 h puis 2 h plus tard. Recommence avec la même étoile 1 fois par semaine pendant 1 mois. Note aussi la couleur de l'étoile et mesure son scintillement.

5 Compare la magnitude de l'étoile et sa hauteur : cela te montre l'influence de l'épaisseur de l'atmosphère sur la luminosité des étoiles.

Le ciel de l'hémisphère Sud

Dans les chapitres qui précèdent, tu as découvert le ciel proche de toi, celui de l'hémisphère Nord. Mais si tu descends vers le sud, le ciel va changer petit à petit, jusqu'à devenir complètement différent.

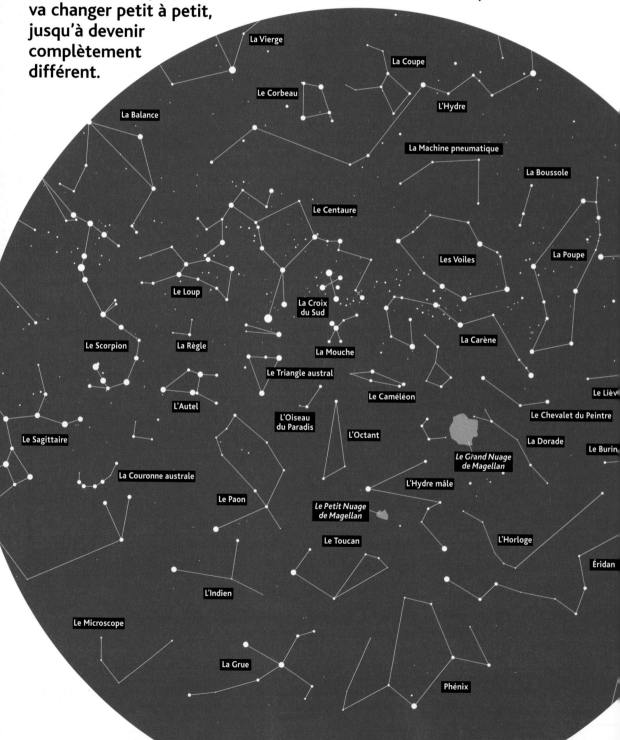

La Vierge

La Coupe

Le Corbeau

L'Hydre

La Balance

La Machine pneumatique

La Boussole

Le Centaure

Les Voiles

La Poupe

Le Loup

La Croix du Sud

La Carène

Le Scorpion

La Règle

La Mouche

Le Triangle austral

Le Caméléon

Le Lièvre

L'Autel

L'Oiseau du Paradis

L'Octant

Le Chevalet du Peintre

Le Sagittaire

La Dorade

Le Burin

Le Grand Nuage de Magellan

La Couronne australe

L'Hydre mâle

Le Paon

Le Petit Nuage de Magellan

L'Horloge

Le Toucan

Éridan

L'Indien

Le Microscope

La Grue

Phénix

DICO

Austral se dit de tout ce qui se situe dans la partie sud du globe terrestre. Austral vient du latin *australis*, qui dérive d'*auster*, vent du sud. La moitié nord du globe est dite boréale. Boréal vient du latin *borealis* qui veut dire « du nord ». Lorsqu'on parle des terres australes, ce sont celles proches du pôle Sud dans la zone antarctique. On utilise moins le terme de terres boréales pour parler des terres arctiques, près du pôle Nord.

LE PÔLE SUD CÉLESTE

Comme dans l'hémisphère Nord, les étoiles tournent autour d'un point central : le pôle sud céleste, mais ici, il n'y a pas d'étoile Polaire.

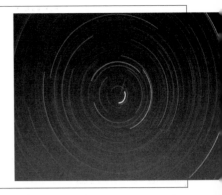

Le ciel austral

Quand on va vers le sud, le ciel austral apparaît. Il a été exploré plus tardivement par les Occidentaux que le ciel boréal. Ses constellations portent des noms à la gloire des animaux de l'hémisphère Sud : le Caméléon, la Dorade, la Grue, le Toucan, l'Oiseau du Paradis ; ou bien à celle de la technologie triomphante du XIXᵉ siècle comme la Machine pneumatique (Antlia), le Microscope, l'Horloge, la Boussole ou le Télescope.

and Chien

Près du pôle Sud, on peut voir à l'œil nu 2 taches dans le ciel. Ce sont le Grand et le Petit Nuage de Magellan. Il s'agit de galaxies satellites de la Voie lactée. Le Grand Nuage de Magellan est distant de 190 000 années-lumière.

La nébuleuse de la Tarentule, située dans le Grand Nuage de Magellan, est la plus grande nébuleuse diffuse connue dans tout l'Univers. Visible à l'œil nu, si elle était à la même distance que la nébuleuse d'Orion, elle couvrirait une grande partie du ciel.

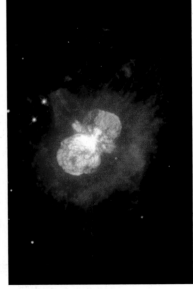

La nébuleuse Êta Carinae porte le nom de l'étoile qu'elle abrite. Cette grosse étoile risque d'exploser en supernova.

Le Centaure et la Croix du Sud

La constellation est au bord de la Voie lactée. **Alpha** et **Bêta du Centaure** forment les pointeurs qui indiquent la Croix du Sud. Celle-ci est coincée entre les pattes du Centaure et la Voie lactée.

Le centaure Chiron était un grand intellectuel, enseignant la médecine et la musique. Tué accidentellement par une des flèches d'Héraclès, il fut placé dans le ciel.

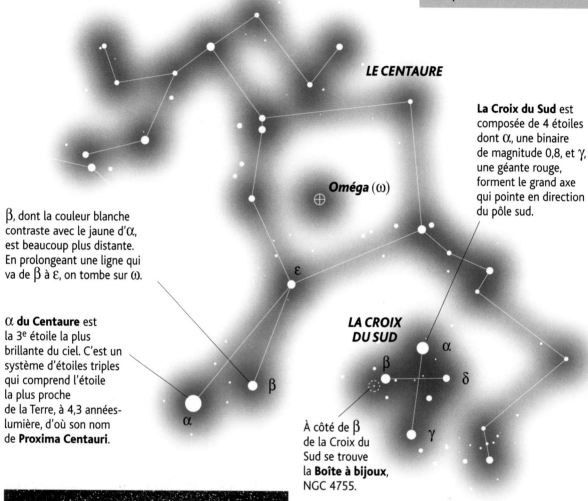

LE CENTAURE

La Croix du Sud est composée de 4 étoiles dont α, une binaire de magnitude 0,8, et γ, une géante rouge, forment le grand axe qui pointe en direction du pôle sud.

Oméga (ω)

β, dont la couleur blanche contraste avec le jaune d'α, est beaucoup plus distante. En prolongeant une ligne qui va de β à ε, on tombe sur ω.

ε

LA CROIX DU SUD

α

β

δ

α **du Centaure** est la 3ᵉ étoile la plus brillante du ciel. C'est un système d'étoiles triples qui comprend l'étoile la plus proche de la Terre, à 4,3 années-lumière, d'où son nom de **Proxima Centauri**.

β

α

γ

À côté de β de la Croix du Sud se trouve la **Boîte à bijoux**, NGC 4755.

Oméga du Centaure est en fait un amas d'étoiles. C'est l'amas le plus imposant de tout le ciel avec ses millions d'étoiles serrées. Il est si dense qu'on croyait depuis l'Antiquité qu'il s'agissait d'une étoile.

La Boîte à bijoux est un amas ouvert de 50 étoiles colorées, dont la plus brillante est d'un beau rouge.

Le navire Argo

Le navire *Argo* navigue sur la Voie lactée,
mais il a été découpé en trois constellations :
la Poupe, la Carène et les Voiles.

LA POUPE

LES VOILES

Canopus ──────
(α Carinae) est
l'étoile la plus brillante
du ciel après Sirius. Pour les Arabes
et les Chinois, c'est un symbole de sagesse.

LA CARÈNE

Canopus

Dans
la Carène
se trouve **Êta
Carinae**, la seule nébuleuse
planétaire visible à l'œil nu !
Elle est très belle aux jumelles
mais en plein milieu de la Voie
lactée, dans une région truffée
d'amas ouverts.

Le navire *Argo* est le bateau
sur lequel les Argonautes
explorèrent le monde antique sous
la direction de Jason. Jason devait
rapporter la toison d'or pour
reprendre le trône de son père.

La Croix du Sud est visible dans tout l'hémisphère Sud et jusqu'à 25° de
latitude nord. En Afrique du Nord, elle marque l'horizon sud, en direction
des grands espaces du désert. Sa forme caractéristique orne de nombreux
objets comme par exemple des selles de Bédouins ou des bijoux berbères.

PLANÈTES
DU SYSTÈME SOLAIRE

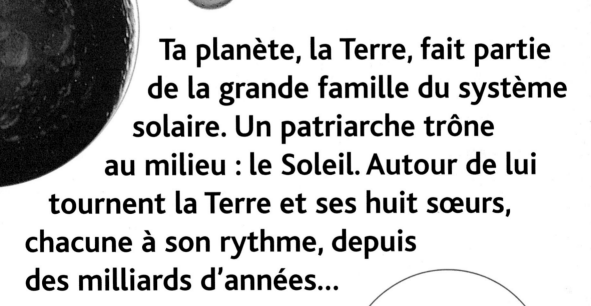

Ta planète, la Terre, fait partie de la grande famille du système solaire. Un patriarche trône au milieu : le Soleil. Autour de lui tournent la Terre et ses huit sœurs, chacune à son rythme, depuis des milliards d'années...

Si tu étais sur une autre planète ?

Si tu visitais le système solaire, tu traverserais des mondes très différents où tous les exploits seraient possibles ! En route pour une visite... imaginaire mais plutôt sportive !

Un tour de vélo sur Mars
Sur Mars, il y a très peu d'atmosphère donc peu de résistance de l'air : 100 fois moins que sur la Terre. Donc, quand tu descends une pente, ça va très vite, l'air ne te freine pas. Et les côtes sont très faciles à monter car tu pèses moins lourd, à cause de la faible pesanteur de la planète.

Du Deltaplane sur Jupiter
Sur Jupiter, comme sur les autres planètes gazeuses, Saturne, Uranus et Neptune, il n'y a pas de sol, donc Deltaplane obligatoire ! L'avantage de Jupiter, c'est qu'elle offre des milliers de kilomètres de descente dans une atmosphère pleine de couleurs, et de plus en plus dense. Si bien que tu navigueras au gré des vents tout autour de la planète. Mais gare aux ouragans de la grande tache rouge...

Du patin à glace sur Europe
En quittant Jupiter, arrête-toi sur l'un de ses satellites, Europe, dont le sol n'est qu'une épaisse couche de glace. Avec ses 3 000 km de diamètre, Europe est la plus grande patinoire du système solaire !

De l'escalade sur Miranda
Pour te promener sur ce satellite d'Uranus, il te faudra un bon matériel d'escalade ! Avec ses falaises de 15 km de hauteur, tu te régaleras avec quelques bonnes heures de grimpe. Et ce n'est pas ton poids qui te gênera car, sur ce petit satellite de 500 km de diamètre, tu ne pèses que 1 kg !

Du bateau sur Titan
Ce gros satellite de Saturne possède des saisons (qui durent 8 ans !), une atmosphère d'azote un peu fraîche, – 168 °C... Conséquence : on pense que sa surface est parcourue d'océans de méthane liquide.
De quoi naviguer tout l'été, à condition d'être bien couvert... L'hiver, c'est pire : la température chute à – 200 °C, il pleut de l'azote liquide !

Repos sur Triton
et ses aurores boréales
Titan et Triton sont parmi les rares satellites du système solaire à avoir une atmosphère. Celle de Triton est encore plus froide, record absolu : – 235 °C. C'est un monde de glace où des geysers d'azote retombent en neige. La proximité de Neptune et de son champ magnétique provoque de splendides aurores boréales. Un spectacle à ne pas manquer !

VIVRE SUR UNE AUTRE PLANÈTE ?

Pour respirer, il faut de l'air et les autres planètes n'en ont pas !

Quant à l'eau, il y en a sans doute un peu partout mais sous forme de glace...

Sur certaines planètes, l'homme pourrait s'installer, mais il y fait ou trop chaud ou trop froid. Sur d'autres, pas question ! il n'y a pas de terre ferme à se mettre sous les pieds, mais d'épais nuages de gaz brûlants.

Donc, s'il y avait d'autres êtres vivants dans le système solaire, ce ne serait que des êtres minuscules, des bactéries. Et cela n'est même pas encore certain !

Observer les planètes

Dans le ciel de nuit, elles reflétent la lumière du Soleil. De plus, comme leur nom l'indique (planète veut dire « astre errant » en grec), les planètes changent de place d'une nuit à l'autre...

Qui chercher et où ?

Seulement 5 planètes sont visibles (à l'œil nu ou avec des jumelles) par un amateur : ce sont Mercure, Vénus, Mars, Jupiter et Saturne. Aide-toi d'un guide (sur papier, CD-Rom, Internet, ou Minitel : 3615 big bang). Il t'indique, jour par jour, l'heure de lever et de coucher des planètes ; leur distance par rapport à un autre astre, leur orientation et leur éclat (magnitude). Mais tu les trouveras toujours près de l'écliptique, dans les constellations du zodiaque.

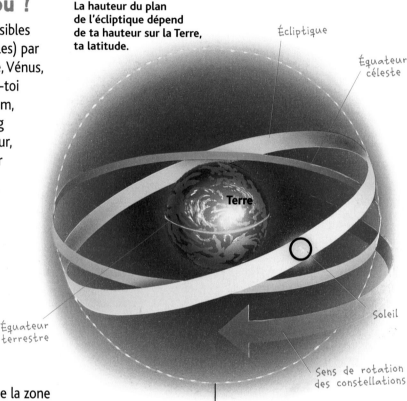

La hauteur du plan de l'écliptique dépend de ta hauteur sur la Terre, ta latitude.

Écliptique

Équateur céleste

Terre

Équateur terrestre

Soleil

Sens de rotation des constellations

Vu de la Terre, l'écliptique est comme un anneau dessiné par le trajet que font le Soleil le jour et les planètes la nuit.

L'écliptique

On appelle plan de l'écliptique la zone du ciel où se produisent les éclipses, c'est-à-dire quand la Lune passe entre le Soleil et la Terre. Si on prolonge le plan de l'écliptique, il traverse les constellations du zodiaque, celles dans lesquelles on voit les planètes.

QUAND DEUX ASTRES SE REJOIGNENT

La Lune et les planètes suivent l'écliptique, chacune à sa vitesse. Quand les deux astres sont sur une même ligne verticale, ils sont en conjonction. Cela est très fréquent car la Lune parcourt vite le ciel. Parfois, la Lune passe devant un astre, et le cache. Cette conjonction s'appelle alors une occultation. Les conjonctions planète-planète ou planète-étoile permettent de comparer couleur et magnitude et, surtout, d'assister, au grand spectacle d'astres qui se rapprochent ou s'éloignent de nuit en nuit...

Localise les planètes

Pour localiser les planètes, prends ton bâton de Jacob (*voir p. 40*) pour mesurer (en degrés) les coordonnées terrestres des astres.

L'altitude (Alt) est la distance angulaire par rapport à l'horizon ; l'azimut (Az), par rapport au sud.

La distance angulaire entre le Soleil et un astre s'appelle l'élongation. Plus elle est proche du maximum (180°), plus l'astre est visible toute la nuit, car le plus éloigné du Soleil.

Un ciel de nuit, un soir...

Quelques jours plus tard, cet astre s'est déplacé : c'était une planète.

LE SCINTILLEMENT

Un bon truc : masque la lumière d'un astre à l'aide d'un fil de fer très fin, en fermant un œil. C'est possible pour les étoiles, pas pour les planètes. Les planètes sont plus proches de toi que les étoiles. Donc, toute leur surface, éclairée par le Soleil, renvoie la lumière d'une manière uniforme, qui ne scintille pas. Les étoiles, elles, sont très lointaines, perçues comme des points. L'atmosphère terrestre fait trembler la lumière et crée le scintillement.

Le mouvement

Les étoiles se déplacent toutes ensemble dans le ciel. Pas les planètes. Chacune possède sa trajectoire, sa vitesse, ses horaires. Donc, si tu crois reconnaître une planète, repère sa position par rapport aux étoiles plusieurs jours de suite. Si elle s'est déplacée, c'est bien une planète.

LA COULEUR

Si les planètes sont basses sur l'horizon, elles paraissent toujours rouges, donc attends qu'elles soient hautes, dans un ciel bien noir, pour déterminer leur vraie couleur.

- Jaune pâle .... Vénus et Jupiter
- Jaune vif..................... Saturne
- Orange .... Mercure
- Rouge........................... Mars

Les grands astronomes

Au IIe siècle après J.-C., le savant Ptolémée invente la géographie et écrit le premier traité d'astronomie. Pour lui, la Terre est au centre de l'Univers et les astres se déplacent autour d'elle sur 88 cercles différents.
Le monde entier y croit pendant 14 siècles...

LE SYSTÈME DE
COPERNIC

Ptolémée vivait
à Alexandrie,
en Égypte.
C'était le centre
intellectuel du
monde antique avec sa gigantesque
bibliothèque de 700 000 volumes !

Dans le système
de Copernic, le Soleil est
au centre du monde.
Comme il savait qu'une
telle idée lui attirerait
des ennuis avec l'Église
catholique, il s'arrangea
pour que ses travaux
ne soient publiés
qu'après sa mort.

LE SYSTÈME DE
TYCHO BRAHÉ

Et au XVIe siècle

En 1543, Copernic, un prêtre polonais, affirme que le Soleil est le centre de l'Univers et que les 5 planètes connues (Vénus, Mars, Mercure, Jupiter et Saturne) plus une sixième (la Terre) décrivent des cercles autour de lui. Puis en 1575, Tycho Brahé, un astronome danois, construit le premier observatoire moderne. Il mesure la position des astres avec des instruments qu'il invente. Mais lui conclut que les planètes tournent autour du Soleil, qui tourne autour de la Terre. Qui croire ?

Tycho Brahé inventa des instruments géants, comme le grand triquetum de 3,60 m de long, ou son quadrant mural de 2,30 m de rayon. La précision de ses instruments permit à Kepler de calculer les orbites des planètes.

La vérité est dangereuse...

Au début du XVIIe siècle, Kepler,
un mathématicien allemand, démontre
que les planètes décrivent autour du Soleil
des trajectoires en forme d'ellipse. Au même
moment, un savant italien, Galilée, prouve que
le système de Ptolémée est faux, que la Terre
n'est pas au centre de l'Univers mais tourne
autour du Soleil. Les gens d'Église l'accusent
d'hérésie (opinion contraire aux croyances
de la religion catholique) et Galilée échappe
au bûcher en avouant qu'il s'était trompé.

Pour protéger ses découvertes, Galilée envoyait
des messages si bien codés à ses correspondants
que même Kepler n'arrivait pas à les déchiffrer...

Kepler

LES LOIS DE KEPLER

Il a fallu 20 ans
de calculs à Kepler pour
formuler les lois
dont l'une dit
que les orbites
des planètes sont
des ellipses. Ces lois
sont aussi valables pour les
comètes qui tournent autour du Soleil.

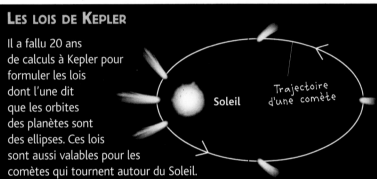

Soleil

Trajectoire d'une comète

Trace une ellipse

Pour reproduire le parcours
des planètes, il faut tracer
une ellipse.

1 Fixe la feuille sur la planche
avec les 2 punaises.

2 Attache la ficelle
aux punaises pour qu'elle forme
un triangle si on la tend
avec le crayon.

- Crayon
- Ficelle fine
- 2 punaises
- Planche
- Feuille de papier

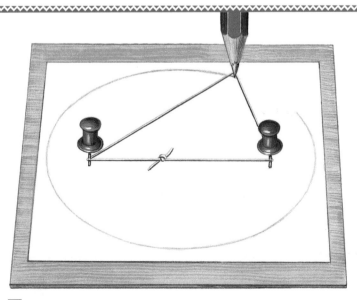

3 Déplace ton crayon en tenant la ficelle tendue.
Tu traces une ellipse. Change la longueur de la ficelle,
pour tracer des ellipses plus ou moins aplaties.

L'astronomie moderne

Isaac Newton

Grâce à la théorie de la gravitation universelle établie par Newton en 1687, les astronomes ont pu calculer les orbites des planètes. Les mathématiques envahissent l'astronomie. Mais ces calculs deviennent très compliqués lorsqu'il y a plus de deux objets...

Observation ou calcul ?

En 1781, William Herschel, qui était musicien et astronome amateur, découvre, par l'observation, la planète Uranus (la 7e planète). Par contre, ce sont les travaux de Newton qui ont permis à Adams, en Angleterre, et à Le Verrier, en France, de prédire par le calcul l'existence et la position de Neptune. Cette 8e planète fut découverte en 1846.

Devenu célèbre, Herschel put construire d'énormes télescopes pour étudier les étoiles doubles et les nébuleuses.

UNE DIXIÈME PLANÈTE ?

En 1971, l'astronome américain Joseph Brady calcula qu'il devait exister une dixième planète, 2 fois plus loin que Pluton, qui perturbait la trajectoire de la comète de Halley et qu'il nomma la planète X. D'autres astronomes ont décrit une improbable planète X, mais aucune observation n'est jamais venue confirmer leurs calculs...

Fabrique un pendule de Foucault

Cette expérience, inventée en 1851 par le physicien français Léon Foucault, montre la rotation de la Terre. Le pendule, suspendu à un très long fil, se balance et parcourt au sol un cercle complet en 24 h.

1 Remplis la bouteille de sable jusqu'aux 2/3.

2 Visse le piton au milieu du bouchon.

3 Demande à un adulte d'accrocher un fil de 5 m de long à un balcon, une branche d'arbre, une cage d'escalier ou dans un préau.

Les planètes fantômes ?

Le Verrier, dont les calculs avaient permis de découvrir Neptune, crut pouvoir expliquer les anomalies de l'orbite de Mercure par l'existence d'une autre planète, plus petite et plus proche du Soleil, qu'il nomma Vulcain. Malgré des recherches acharnées pendant plus de 50 ans, Vulcain resta cachée. Finalement, la théorie de la relativité d'Einstein permit d'expliquer l'orbite de Mercure et prouva que Vulcain n'existait pas. Il faut ensuite attendre 1930 pour que la 9e et dernière planète du système solaire (Pluton) soit découverte par Clyde Tombaugh, un astronome américain.

Extrait des calculs de Le Verrier.

De nos jours, les astronomes utilisent de puissants ordinateurs pour les assister dans leurs travaux : ils pilotent les télescopes, effectuent des calculs de trajectoires, etc.

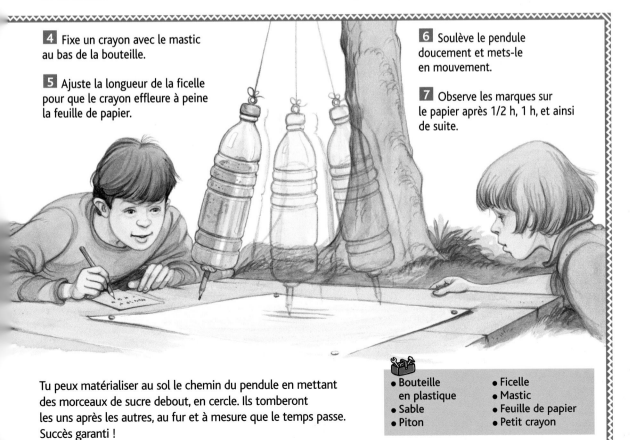

4 Fixe un crayon avec le mastic au bas de la bouteille.

5 Ajuste la longueur de la ficelle pour que le crayon effleure à peine la feuille de papier.

6 Soulève le pendule doucement et mets-le en mouvement.

7 Observe les marques sur le papier après 1/2 h, 1 h, et ainsi de suite.

Tu peux matérialiser au sol le chemin du pendule en mettant des morceaux de sucre debout, en cercle. Ils tomberont les uns après les autres, au fur et à mesure que le temps passe. Succès garanti !

- Bouteille en plastique
- Sable
- Piton
- Ficelle
- Mastic
- Feuille de papier
- Petit crayon

Le système solaire

« Mon Vaisseau Te Mènera Jeudi Sur Une Nouvelle Planète »
est l'une des phrases qui permettent de se souvenir
de l'ordre des planètes en partant du Soleil.
Mercure, Vénus, Terre, Mars, Jupiter, Saturne,
Uranus, Neptune, Pluton : voici les 9 planètes
du système solaire, le tien, qui existe grâce
à sa bonne étoile, le Soleil.

DICO

Rotation : mouvement d'une
planète tournant sur elle-même.
Révolution : mouvement des
planètes autour du Soleil.
Orbite : trajet qu'une planète
décrit autour du Soleil.

Entre Mars et Jupiter gravitent
des millions d'astéroïdes. Le plus gros, Cérès,
mesure 1 000 km de diamètre, mais
la plupart ne sont que de gros rochers.

Jupiter

Mars

Mercure   Vénus   Terre

Soleil

Est-Il unique ?

On a trouvé une vingtaine de systèmes
planétaires autres que le système solaire.
Deux sont autour d'étoiles que l'on peut
voir à l'œil nu : l'étoile 47-UMa
(dans la Grande Ourse) et l'étoile 70-Vir
(dans la constellation de la Vierge).

Construis un système solaire

Dans ce modèle, chaque
planète sera à l'échelle.
C'est-à-dire qu'il faut
faire comme si le Soleil
mesurait 1 m de
diamètre. Et voici
ce qui se passerait...

Le Soleil : 1 m

Mercure :
4 mm
à 40 m

Vénus :
1 cm
à 70 m

Terre :
1 cm
à 100 m

Mars :
5 mm
à 170 m

LES JOURS DE LA SEMAINE

La semaine de 7 jours correspond à la durée des phases de la Lune. Elle est d'origine hébraïque. Les noms des jours viennent des 7 astres brillant dans le ciel : la Lune (lundi), et les 5 planètes observées depuis l'Antiquité : Mars (mardi), Mercure (mercredi), Jupiter (jeudi), Vénus (vendredi) et Saturne (samedi). En français, dimanche vient du latin (*dies dominicus*) et veut dire « jour du Seigneur », alors qu'en anglais, Sunday veut dire le jour du Soleil (7e astre).

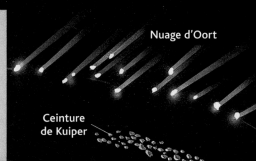

Nuage d'Oort

Ceinture de Kuiper

Neptune

Uranus

Pluton

Saturne

ALLER VOIR DE PRÈS...

Lancée le 20 août 1977, la sonde *Voyager 2* a permis de découvrir l'extraordinaire diversité du système solaire. Elle a survolé 4 planètes et 30 satellites en 12 ans (dont beaucoup étaient inconnus jusque-là).

Comment sont nées les planètes

À la naissance du Soleil, toute la matière qui se trouvait autour s'est réunie en un disque, entraîné par la rotation du Soleil. Au sein de ce disque, la matière s'est progressivement agglomérée en gros blocs. Puis sous l'effet de la force d'attraction, les blocs se sont percutés, les plus gros absorbant les plus petits. Un milliard d'années plus tard, il restait les poids lourds, les planètes, et des blocs plus petits. Ces derniers sont devenus des astéroïdes, coincés entre Mars et Jupiter, ou bien des comètes, rejetées aux confins du système solaire, au-delà de Pluton.

Jupiter : 11 cm à 530 m

Uranus : 4 cm à 2 km

Saturne : 10 cm à 1 km

Neptune : 4 cm à 3 km

Pluton : 2 mm à 5 km !

Ceinture d'astéroïdes entre 200 et 400 m

ET SI TU CONTINUES ?

Les 10 km suivants représentent la ceinture de Kuiper. Il te faudrait encore 7 000 km pour quitter le nuage d'Oort et sortir du système solaire !

Vénus, l'étoile du berger

Vénus

Quand les bergers voyaient cette planète apparaître dans la soirée, c'était le signal : il fallait rentrer les moutons car il était tard ! D'où son surnom d'étoile du berger.

On appelle **planètes inférieures** celles qui sont plus près du Soleil que la Terre : Mercure et Vénus. Les autres sont les planètes supérieures.

Le noyau est composé de nickel et de fer.

Dans la haute atmosphère, des vents violents de 400 km/h balayent la planète en permanence, alors qu'au sol il n'y a pratiquement pas de vent.

Surface basaltique (comme les terrains les plus anciens de la Terre)

CARTE D'IDENTITÉ

Nom : Vénus
Diamètre : 12 102 km (Terre : 12 756 km)
Masse : 0,815 fois la Terre
Satellite : 0
Rotation : 244 jours (Terre : 24 h)
Distance moyenne du Soleil : 108 millions de km
(Terre : 150 millions)
Révolution : 225 jours (Terre : 365)

Vénus a des phases, comme la Lune. Son apparence change en fonction de sa position dans l'espace.

Conjonction supérieure
Vénus est dans l'alignement du Soleil : elle est invisible.

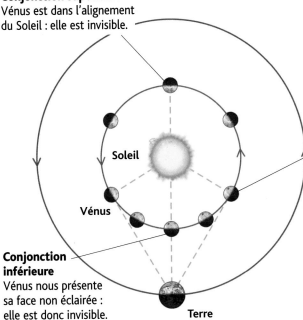

Soleil

Vénus

Conjonction inférieure
Vénus nous présente sa face non éclairée : elle est donc invisible.

Élongation maximale
Vénus est à la fois assez écartée de l'axe Terre/Soleil pour être visible et assez proche de la Terre pour qu'on la voie bien, même quand il fait jour.

Terre

Où et quand la voir ?

Vénus est l'astre le plus brillant du ciel. Pendant 5 mois, elle apparaît après le coucher du Soleil. Puis les 5 mois suivants, elle se lève avant le lever du Soleil.

EFFET DE SERRE, MORTEL !

L'atmosphère de Vénus, composée à 96 % de dioxyde de carbone, est si lourde qu'elle crée un effet de serre. Cela augmente la température et la pression, rendant toute vie impossible. Ce qui arriverait sur Terre, si, à cause de la pollution, le dioxyde de carbone augmentait trop.

Grâce au radar de la sonde spatiale *Magellan*, on a pu établir une carte très précise de Vénus. Tous les reliefs supérieurs à 120 mètres sont cartographiés.

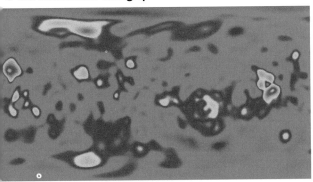

Pas de mers, mais des chaînes de montagnes et des cratères répartis sur 3 continents de lave. Température moyenne : + de 400 °C. Pression atmosphérique : 90 fois celle de la Terre. Un enfer !

Reproduis un effet de serre

1 Adapte la paille au bouchon (avec de la pâte à modeler si nécessaire).

2 Verse dans la bouteille un verre de vinaigre et quelques cristaux de soude, bouche-la.

3 Allume dans le bocal 3 bougies de longueurs différentes.

4 Le dioxyde de carbone s'accumule dans le bocal, la bougie la plus courte s'éteint, privée d'oxygène, puis les autres. Le gaz carbonique, plus lourd que l'air, s'accumule au fond du bocal et chasse l'air, plus léger.

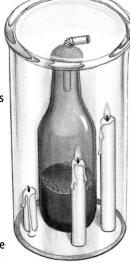

- Bouteille
- Bouchon
- Paille coudée
- Bocal
- Cristaux de soude (en droguerie)
- 3 bougies
- Vinaigre

Jupiter, la géante du système solaire

Jupiter

Jupiter est la planète la plus facile à voir.
Très brillante, très grosse, entourée
de ses nombreuses lunes, elle règne
majestueusement
dans le ciel de nuit...

Le noyau rocheux est caché dans un cocon gazeux puis liquide d'hydrogène et d'hélium.

Des bandes sont visibles de chaque côté de l'équateur.

Jupiter est une énorme boule de gaz très lourde !
Elle représente à elle seule les 2/3 de la masse du système solaire (sans le Soleil).

Ses 3 anneaux, très fins, ont été découverts en 1979.

Sur la bande équatoriale sud, il y a une tache rouge. C'est un énorme cyclone capable d'engloutir la Terre entière ! Des vents y circulent à 500 km/h !

Température à la surface du noyau : plus de 20 000 °C !

Io

Europe

Ganymède

D'une nuit à l'autre, les 4 lunes principales de Jupiter changent de place : tantôt il y en a 2 de chaque côté, tantôt 3 d'un côté et une seule de l'autre... Essaye de repérer ces 4 satellites, sachant que Callisto est le plus éloigné de Jupiter, puis ensuite Ganymède, Europe et Io.

Callisto

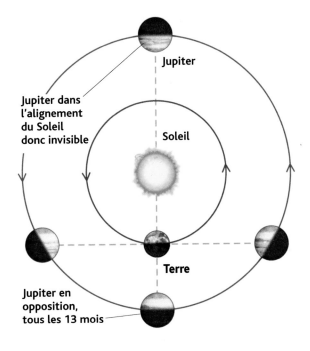

Jupiter

Jupiter dans l'alignement du Soleil donc invisible

Soleil

Terre

Jupiter en opposition, tous les 13 mois

Où et quand la voir ?

Comme les autres planètes supérieures, la meilleure période d'observation, c'est lorsque Jupiter est en opposition (Soleil-Terre-planète sont alignés). Son disque et ses principaux satellites sont alors visibles toute la nuit avec des jumelles. Cherche-la au sud. Pendant 6 mois, elle est magnifique ! Aide-toi d'un guide du ciel pour la repérer.

On appelle Io la « pizza », parce qu'elle est rouge vif. Cela est dû à des cratères qui éjectent des laves de soufre à des centaines de kilomètres !

Ganymède a une croûte glacée. Elle recouvre sans doute une couche d'eau qui va jusqu'au noyau rocheux.

Lisse comme une bille, Europe est une étendue uniforme de glace avec quelques fissures...

Callisto a une couche de glace de plus de 2 000 km d'épaisseur ! Sa surface est couverte de cratères.

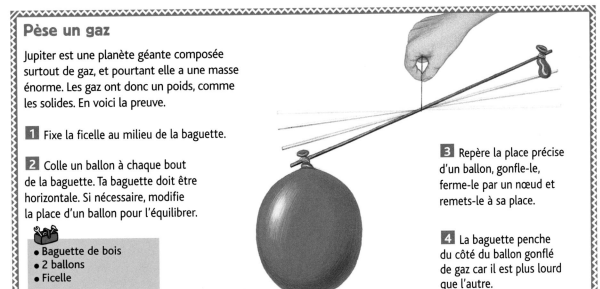

Pèse un gaz

Jupiter est une planète géante composée surtout de gaz, et pourtant elle a une masse énorme. Les gaz ont donc un poids, comme les solides. En voici la preuve.

1 Fixe la ficelle au milieu de la baguette.

2 Colle un ballon à chaque bout de la baguette. Ta baguette doit être horizontale. Si nécessaire, modifie la place d'un ballon pour l'équilibrer.

• Baguette de bois
• 2 ballons
• Ficelle

3 Repère la place précise d'un ballon, gonfle-le, ferme-le par un nœud et remets-le à sa place.

4 La baguette penche du côté du ballon gonflé de gaz car il est plus lourd que l'autre.

Saturne, la princesse des anneaux

Le grand astronome Galilée est sans doute le premier homme à avoir vu les anneaux de Saturne à travers sa lunette. Comme il ne les voyait pas bien, il a cru que la planète avait... des oreilles !

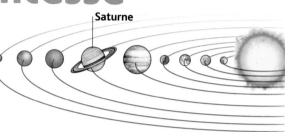

Saturne

Au centre, noyau rocheux sans doute liquide, à cause de la température et de la pression

Température très variable : – 130 °C en surface, et + 8 000 °C à 30 000 km de profondeur

En surface, vents violents de 1 800 km/h à l'équateur !

Saturne est composée surtout d'hydrogène et d'hélium. C'est la planète la moins dense du système solaire ; elle pourrait flotter sur l'eau...

Anneau A   Anneau B, très brillant   Anneau C, plus sombre

CARTE D'IDENTITÉ

Nom : Saturne
Diamètre : 120 536 km
Masse : 95 fois la Terre
Satellites : 30
Rotation : environ 10 h
Distance moyenne du Soleil : 1 429 millions de km
Révolution : 29,46 ans

Téthys

Dioné

Titan intéresse beaucoup les scientifiques car ce satellite possède une atmosphère semblable à celle de la Terre au moment où la vie est apparue. Seul problème, la température : – 180 °C au sol.

Où et quand la voir ?

Saturne se déplace lentement d'une nuit
à l'autre dans le ciel. Elle est aussi brillante
que Véga, l'une des 3 étoiles les plus brillantes
du triangle d'été. Tu peux repérer sa couleur
jaune, mais impossible de voir ses anneaux
aux jumelles. Il faut un petit télescope ou
une petite lunette. Tu pourras alors voir
le plus gros des satellites de Saturne, Titan,
visible lorsqu'il est bien séparé de la planète.

Ta planète Terre serait bien petite comparée à cette géante !

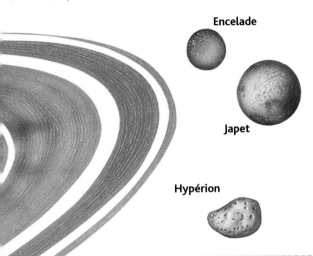

Encelade

Japet

Hypérion

D'où viennent les anneaux ?

On ne le sait pas vraiment... Ce sont peut-être
des débris issus de la collision de 2 lunes
de Saturne ou entre une lune et une comète
ou un astéroïde. Ces anneaux sont plus
spectaculaires que ceux de Jupiter et d'Uranus,
car ils réfléchissent bien la lumière du Soleil.
Composés de millions de débris de poussières,
de cailloux et de glace, ils forment un disque
de presque 1 million de km de diamètre.

Fais tourner les anneaux de Saturne

Les anneaux ont toujours une
inclinaison de 26,7° par rapport
à l'orbite de la planète. Tous
les 15 ans environ, ces anneaux
ne sont plus visibles car de la Terre
on les voit de profil.

- Bande de papier
- Rapporteur
- Balle
- Pâte à modeler

1 Réalise
une maquette
de Saturne avec
une balle et une
bande de papier
pour figurer
les anneaux.

2 À l'aide d'un
rapporteur,
incline la planète
de 27°. Fixe-la
sur un support
en pâte à modeler.

3 Suivant l'angle de
vue, ses anneaux seront
plus ou moins visibles.
De profil, on ne voit
qu'une mince ligne.

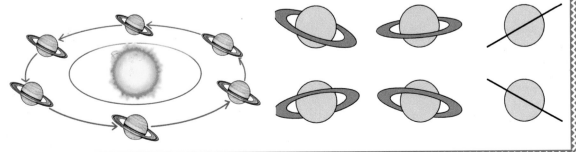

Mars la rouge

Parmi les planètes du système solaire, c'est elle qui ressemble le plus à la Terre, mis à part cette couleur rouge comme le sang des batailles, qui lui a valu le nom du dieu de la guerre, Mars.

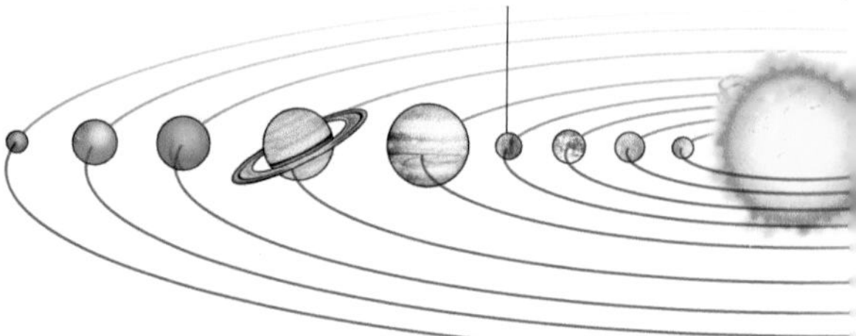

Mars

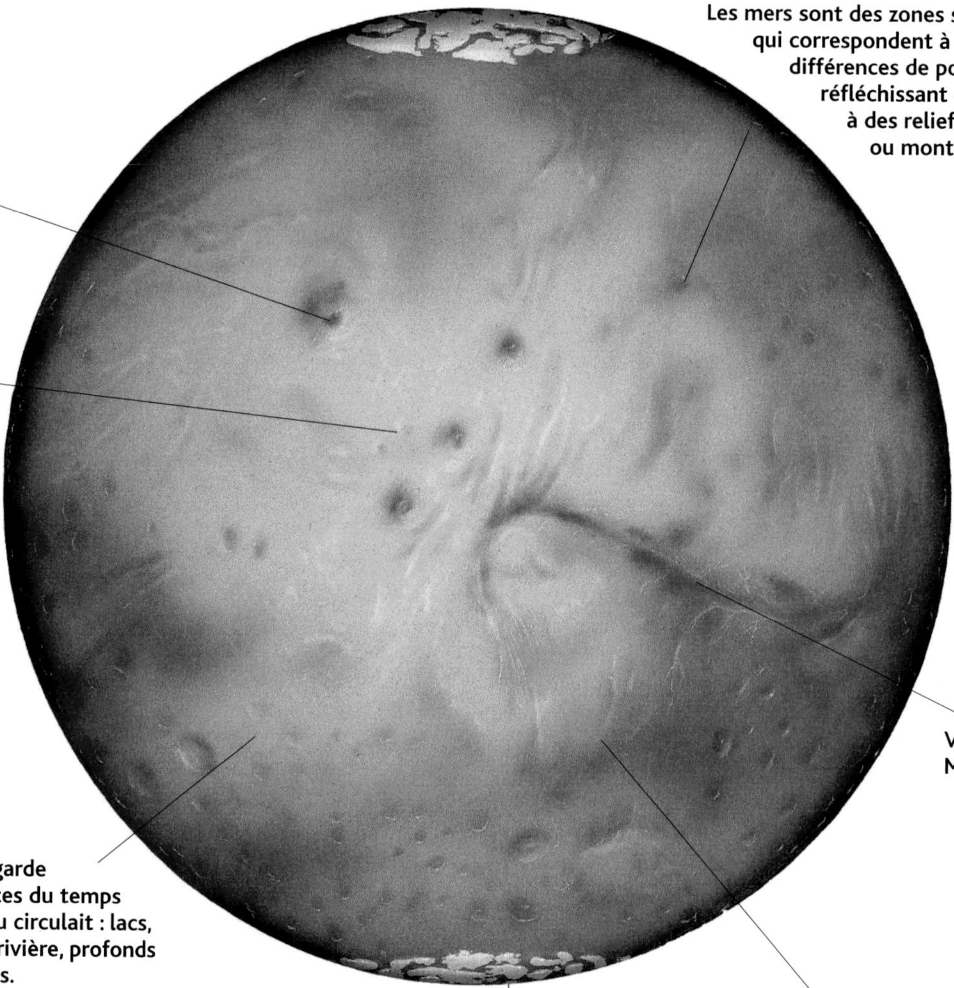

Les mers sont des zones sombres qui correspondent à des différences de pouvoir réfléchissant et non à des reliefs plats ou montagneux.

Olympus Mons

Tharsis Montes

Valles Marineris

Le sol garde les traces du temps où l'eau circulait : lacs, lits de rivière, profonds canyons.

Sa couleur rouge est due aux oxydes de fer (la rouille) contenus dans son sol.

Les calottes polaires sont constituées d'eau gelée et de glace carbonique.

CARTE D'IDENTITÉ

Nom : Mars
Diamètre : 6 794 km
Masse : 0,107 fois la Terre
Satellites : 2
Rotation : 24 h 37 min
Distance moyenne du Soleil :
228 millions de km
Révolution : 687 jours

Suis une trajectoire

Quand Mars est en opposition avec le Soleil, la Terre rattrape Mars puis la dépasse. Conséquence : Mars, qui se déplaçait d'ouest en est, semble faire marche arrière et se déplace d'est en ouest.

1 Repère les constellations visibles autour de Mars. Dessine-les.

2 Chaque soir, à la même heure, note la place précise de la planète rouge. Elle va avancer, rester immobile pendant quelques jours puis va repartir de l'autre côté.

Il te faut un guide du ciel, un site d'observation utilisable tous les soirs à la même heure.

Les 2 satellites de Mars sont Phobos, cela signifie la peur en grec, et Deimos (la panique en grec). Ce ne sont que d'étranges cailloux très cabossés.

Phobos a une forme allongée, très irrégulière. Mesurant 27 km de long, il tourne au ras de la planète et fait 3 tours par jour.

Deimos, plus petit, tourne dans l'autre sens mais en prenant son temps ; il parcourt 4 tours en 5 jours.

Où et quand la voir ?

Mars n'est pas très brillante, mais on la reconnaît facilement à sa couleur rouge. Située plus loin du Soleil que la Terre, elle est bien visible lorsqu'elle est en opposition au Soleil. Sa distance par rapport à la Terre varie car elle a une trajectoire plus elliptique que celle de la Terre. Donc sa taille apparente varie beaucoup. Consulte un guide pour savoir à quelle période elle sera la plus grosse et la plus brillante.

VIVRE SUR MARS ?

Mars a un sol stable, une atmosphère fine, de l'eau gelée et même des saisons. L'été, de grandes tempêtes de sable balayent l'hémisphère nord du sol martien. Les calottes glaciaires s'agrandissent l'hiver et rétrécissent l'été. Cela fait rêver les hommes ! La Nasa a prévu leur arrivée sur Mars pour 2020. D'ici là, de nombreuses missions d'exploration prépareront cet évènement.

La météorite ALH 84 001 est un morceau de roche de 1,9 kg trouvé dans l'Antarctique. Elle a été éjectée de Mars à la suite d'un violent impact.

Uranus, le monde de l'étrange

Cette superbe planète bleu-vert a l'air bien tranquille mais, en l'étudiant de plus près, on va de surprise en surprise !

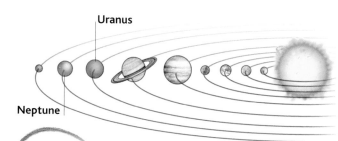

Uranus

Neptune

Malgré sa distance, de très bons amateurs d'astronomie réussissent à la voir, à l'œil nu, par ciel clair...

Découverte en 1781, on l'a appelée Uranus, nom du père de Saturne (père de Jupiter, lui-même père de Mars), car elle est située après ces planètes.

Ses anneaux sont très minces, composés uniquement de rochers, comme si l'on avait balayé les poussières... Le plus épais est gardé par 2 satellites « bergers ».

Le satellite Miranda possède des falaises vertigineuses, des stries colossales... on dirait qu'il a été heurté par un corps céleste avant de se recoller au petit bonheur !

Bizarre, bizarre...

D'ordinaire, les planètes tournent autour d'un axe, qui est plus ou moins vertical. Celui d'Uranus est très incliné, ce qui donne l'impression qu'elle roule sur le côté... De plus, contrairement aux autres planètes géantes, elle ne possède pas de source de chaleur interne, toute son énergie vient du Soleil. Comme elle est très éloignée de lui, elle met 84 ans pour en faire le tour. Si bien qu'aux pôles, l'hiver (ou l'été) dure 42 ans !

CARTE D'IDENTITÉ

Nom : Uranus
Diamètre : 51 118 km
Masse : 14,5 fois la Terre
Satellites : 20
Rotation : 17 h 20 min
Distance moyenne du Soleil : 2 875 millions de km
Révolution : 84 ans

Neptune, la dernière des géantes

Sa belle couleur bleue, donnée par le méthane de son atmosphère, correspond bien à son nom, Neptune, le dieu de la mer.

Avant de voir Neptune, on a découvert sa présence par son influence sur Uranus. Ensuite, des calculs savants ont permis de la localiser.

Ce gros satellite, Triton, possédant une atmosphère, a été capturé par Neptune et s'y écrasera dans 100 millions d'années. Ce qui créera des anneaux aussi beaux que ceux de Saturne !

Aux jumelles, avec une bonne carte du ciel, on peut la découvrir.

La plus petite des gazeuses

Balayée par des vents violents, Neptune possède une grande tache blanche qui tourne autour d'elle à toute vitesse, en 16 h. Comme Jupiter, elle a un ouragan, appelé par analogie la grande tache sombre, qui fait un tour en 10 jours. Mais le plus étrange, c'est que ces 2 taches tournent en sens inverse...

CARTE D'IDENTITÉ

Nom : Neptune
Diamètre : 49 528 km
Masse : 17,2 fois la Terre
Satellites : 8
Rotation : environ 16 h
Distance moyenne du Soleil : 4 504 millions de km
Révolution : 164,8 ans

Reproduis l'aplatissement des pôles

Les planètes paraissent rondes, mais en fait elles ne le sont pas. Cette expérience montre pourquoi toutes sont aplaties aux pôles, surtout les gazeuses.

1 Dans le cercle, perce 2 trous distants de 1 cm à 5 mm du centre.

2 Colle les bandes de carton. Positionne les pôles et l'équateur.

3 Perce-les de chaque côté et passes-y la ficelle.

4 Noue la ficelle, passe un doigt de chaque côté et fais tourner la sphère dans un sens.

5 Déroule-la en tirant sur la ficelle. Tu vois la sphère s'aplatir sous l'effet de la force centrifuge. Puis elle reprend sa forme habituelle.

- Cercle de carton fort, diamètre 10 cm
- 2 bandes de carton de 2 x 31,5 cm
- 1 m de ficelle

Mercure, la planète au cœur de fer

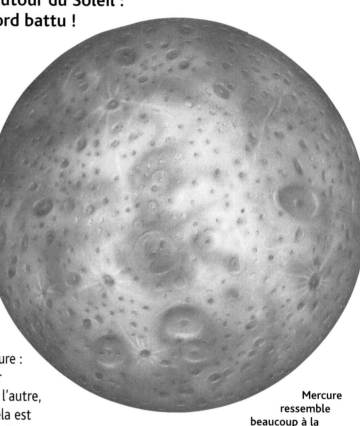

Pluton   Mercure

Malgré sa petite taille, Mercure est la plus rapide des planètes dans la course autour du Soleil : seulement 88 jours, tout record battu !

Où et quand la voir ?

Visible à l'œil nu, assez basse sur l'horizon, tu pourras la voir juste après le coucher ou avant le lever du Soleil. Le seul obstacle sérieux à son observation, c'est le Soleil, dont elle est la planète la plus proche.

Une planète sous influence...

Mercure tourne sur elle-même très, très lentement... Il lui faut 59 jours ! À qui la faute ? Au Soleil, bien sûr ! Il influence aussi sa température : du côté éclairé par le Soleil, c'est le jour sur Mercure, il fait plus de 400 °C et de l'autre, c'est la nuit, il fait jusqu'à – 183 °C ! Cela est dû à l'absence d'atmosphère pour redistribuer la chaleur et à la longueur (trois mois) des jours et des nuits.

Mercure ressemble beaucoup à la Lune. Comme elle, son sol est criblé de traces parfois profondes et étendues de chutes de météorites. L'un de ses cratères est plus grand que la France : plus de 1 300 km de diamètre !

D'OÙ VIENT SON CŒUR DE FER ?

Les scientifiques ont émis 3 hypothèses.
• Mercure, très proche du Soleil, a eu la chance de recevoir plus de fer que les autres planètes.
• Mercure a reçu autant de fer que les autres, mais les radiations du Soleil ont balayé les éléments plus légers, ne laissant que le fer.
• Après une collision avec une autre planète, leurs noyaux ont fondu, les éléments légers ont été éjectés, Mercure est restée avec son noyau de fer.

CARTE D'IDENTITÉ

Nom : Mercure
Diamètre : 4 880 km
Masse : 0,056 fois la Terre
Satellite : 0
Rotation : 59 jours
Distance moyenne du Soleil : 57,9 millions de km
Révolution : 88 jours

Fais tourner un satellite

Charon ne peut s'éloigner de Pluton à cause de la gravitation (force centripète). Mais il garde ses distances grâce à son mouvement de révolution qui crée une force (force centrifuge).

1 Passe une ficelle fine dans une bobine de fil.

2 D'un côté de la ficelle, attache un bouchon, de l'autre un écrou.

3 Quand tu fais tourner de plus en plus vite le bouchon, la force centrifuge augmente et l'écrou monte.

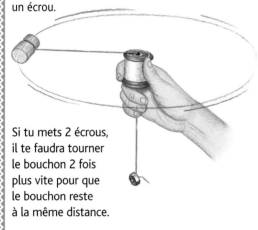

Si tu mets 2 écrous, il te faudra tourner le bouchon 2 fois plus vite pour que le bouchon reste à la même distance.

À distance égale, plus une planète est massive, plus son satellite doit tourner vite pour ne pas tomber sur elle.

- Bouchon
- Écrou
- Ficelle
- bobine de fil

Pluton, aux portes de l'enfer

C'est la plus éloignée et la plus petite du système solaire. Cette planète rocheuse possède un seul satellite énorme, Charon, qui garde la porte du système solaire.

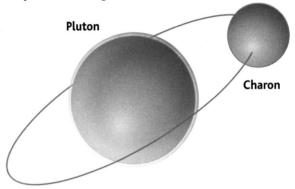

Pluton

Charon

Un couple étrange

Comme un couple de danseurs qui se tiennent par les bras, Pluton et Charon tournent, face à face, ensemble autour du Soleil. Le satellite Charon, qui est moitié moins grand que Pluton, reste tout près de la planète, comme s'il était attaché à un fil. Cette zone du ciel est plutôt sinistre : le Soleil est si loin qu'il éclaire 1 500 fois moins que sur la Terre et Pluton n'a qu'une fine atmosphère d'azote circulant au-dessus de couches gelées de méthane et d'eau.

CARTE D'IDENTITÉ

Nom : Pluton
Diamètre : 2 250 km
Masse : 0,0026 fois la Terre
Satellite : 1
Rotation : 6 jours
Distance moyenne du Soleil :
5 900 millions de km
Révolution : 247,7 ans

TOMBES
DU CIEL

Minuscules ou énormes, faits de fer,
de pierre ou de glace, des objets
traversent l'espace et tombent sur Terre
par milliers. Mais d'où viennent-ils ?
Qu'ils s'appellent météorites, astéroïdes
ou comètes, quelle force mystérieuse
les anime ?

Les météorites

La plupart d'entre elles sont nées avec le système solaire, il y a plus de 4 milliards d'années. Et pourtant, les météorites tombent encore du ciel à toute vitesse, jusqu'à 150 000 km/h : 100 fois la vitesse d'un avion supersonique !

DICO

Météore : phénomène lumineux que les météorites engendrent en traversant l'atmosphère.

Météorite : fragment rocheux ou métallique d'origine extraterrestre qui pénètre dans l'atmosphère.

D'où viennent-elles ?

À la naissance du système solaire, des millions de roches n'ont pas réussi à s'agglutiner pour former une planète et sont restées entre Mars et Jupiter. Elles ont formé un anneau, appelé la ceinture d'astéroïdes. Mais là, au cours de collisions, des roches ont été éjectées, ont voyagé dans l'espace, jusqu'à la Terre, la Lune ou la planète Mars. Sous la violence du choc, ces roches ont éjecté parfois des fragments de leur sol, qui retombent à leur tour sur une autre planète...

Tour de taille ?

Il y a deux possibilités. De la taille d'une tête d'épingle, les météorites se volatilisent vers 50 km au-dessus de la Terre, et on les appelle (à tort !) « étoiles filantes ». Elles ne laissent dans le ciel de nuit que de belles traînées lumineuses. Rien à craindre ! Mais si elles sont plus grosses et parviennent à traverser l'atmosphère, elles explosent à basse altitude et tombent jusqu'au sol : on leur donne alors le nom de « bolides ». Dans ce cas, mieux vaut ne pas être dessous !

CHUTE D'UNE MÉTÉORITE

La chaleur produite par le frottement de l'air fait fondre la croûte extérieure de la météorite.

Elle peut exploser avant de toucher le sol en une multitude de fragments. Ou bien elle creuse un cratère et sera désintégrée dans ce choc.

Aux États-Unis, en Arizona, un cratère de 1 200 m de large et de 180 m de profondeur (*Meteor crater*) témoigne de la chute d'une météorite tombée il y a 50 000 ans. Elle pesait plus de 300 000 tonnes !

En 1992, dans l'État de New York, une météorite de 12 kg a traversé l'aile de cette voiture.

PARTOUT DANS LE MONDE

On n'a jamais retrouvé sur Terre de météorite plus grosse ! Hoba, découverte en Namibie (Afrique australe), pèse 60 tonnes. Si elle avait été plus lourde, elle aurait sans doute explosé avant d'arriver au sol ! Aux États-Unis, le 10 août 1972, une météorite de plus de 1 000 tonnes traverse le ciel sans tomber ! Cette fois-là, la planète l'a échappé belle...

DES MÉTÉORITES PAR MILLIERS

Chaque jour, il tombe entre 100 et 1 000 tonnes de météorites sur Terre. Évidemment, si tu lèves le nez, même pendant plusieurs jours et plusieurs nuits, tu ne verras sans doute rien venir... Pourtant, les chiffres sont là !

Une belle histoire : les pierres d'orage

Quand les météorites arrivent sur la Terre, elles passent le mur du son (1 100 km/h) avec un bruit de tonnerre. On a cru longtemps que ces chutes étaient liées aux orages. Le philosophe Descartes pensait même qu'elles étaient des pierres formées par la fusion de l'atmosphère sous l'effet de la foudre. D'autres croyaient qu'il s'agissait de pierres projetées en l'air quand la foudre frappait le sol...

Foudre + atmosphère = pierres.

Les météorites sont recherchées par les scientifiques et par les collectionneurs qui les achètent très cher.

Comment analyser les météorites ?

De multiples outils sont capables de percer le secret des météorites : microscope polarisant, spectromètre de masse, microsonde électronique, datation radioactive... Les résultats obtenus sont exceptionnels : ils permettent, au fil des années, d'en savoir un peu plus sur la formation du système solaire.

Qu'y a-t-il à l'intérieur d'une météorite ?

Si elles sont métalliques, on les appelle des sidérites. Faites de pierres, ce sont des aérolithes. Quand elles sont les deux à la fois, des sidérolithes.
Depuis des milliers d'années, des hommes ont utilisé les météorites métalliques, pour en faire des armes et des outils. Ils les trouvaient surtout au pied des montagnes, poussées par les glaciers.

Où et quand voir des étoiles filantes ?

Les étoiles filantes sont visibles, sous forme de pluies, dans des endroits particuliers du ciel. Certaines périodes sont plus favorables. Repère-les dans ce tableau et reporte-toi à la carte.

Constellation dans laquelle se trouve le centre des départs des étoiles filantes	Date où il y en a le plus	Nombre d'étoiles filantes visibles, par heure
Le Bouvier : les Quadrantides	4 janvier	40
La Lyre : les Lyrides	22 avril	15
Le Verseau : les Êta Aquarides	5 mai	10
Le Verseau : les Delta Aquarides	29 juillet	25
Persée : les Perséides	12 août	50
Orion : les Orionides	21 octobre	25
Le Taureau : les Taurides	3 novembre	10
Le Lion : les Léonides	18 novembre	100
Les Gémeaux : les Géminides	14 décembre	50
La Petite Ourse : les Ursides	22 décembre	10

Récolte de la poussière de météorites

1 Par temps de pluie, laisse une bassine dehors, plusieurs jours.

2 Vide doucement l'eau de la bassine. Dans le fond, des particules minuscules se sont accumulées. Ne les jette pas !

3 Laisse le peu d'eau restant s'évaporer au soleil.

4 Tu peux alors, avec un aimant, récolter les petites particules métalliques : ce sont sans doute des poussières de météorites.

- Bassine
- Aimant

LA PIERRE NOIRE DE LA MECQUE

Le lieu le plus saint de l'islam est La Mecque, en Arabie Saoudite. Au cœur de la Grande Mosquée, les fidèles tournent en priant autour d'un édifice cubique dans lequel est scellée la Pierre noire. Elle aurait été donnée à Abraham par l'archange Gabriel. Cet objet sacré est une météorite !

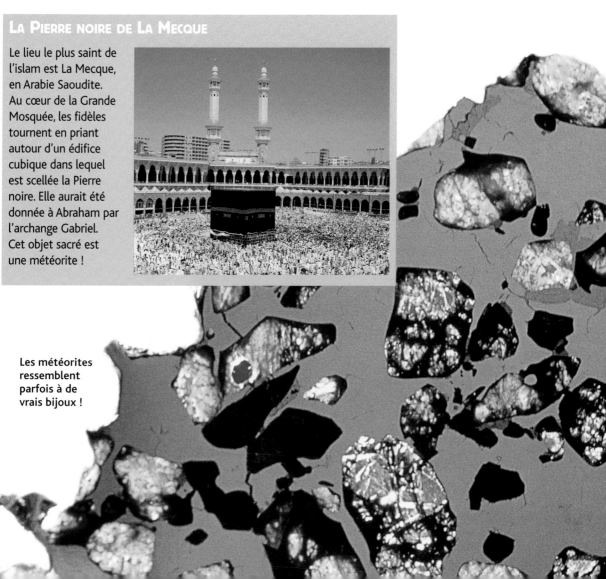

Les météorites ressemblent parfois à de vrais bijoux !

Les astéroïdes

Entre les planètes Mars et Jupiter, très loin dans l'espace, un énorme anneau, large de 240 millions de kilomètres, tourne autour du Soleil. Il est composé de millions d'objets appelés astéroïdes.

La planète qui n'a jamais existé...

D'après les calculs des astronomes, une planète aurait dû se trouver entre Mars et Jupiter. Mais rien ! Néant ! En 1800, une « police du ciel », composée de 24 astronomes, se mit en chasse. Ils cherchèrent... Une nuit, en 1801, le père Giuseppe Piazzi, directeur de l'observatoire de Palerme, découvrit enfin un petit astre : Cérès. Mais il était, hélas, beaucoup plus petit qu'une planète. Dommage ! Ensuite, il y eut Pallas, petit lui aussi... En 1802, on leur donne le nom d'astéroïdes, ce qui signifie « semblables aux étoiles ». Au fil des années, on en trouva près de 5 000 !

Ne rêve pas ! Tu n'es pas près de traverser cet anneau extraordinaire. Il te faudrait aller au-delà de Mars, 100 millions de km plus loin... La planète magique que tout le monde a imaginée n'existe que dans les films fantastiques !

DICO

Astéroïdes : petits corps célestes, rocheux, de forme irrégulière, plus petits que les planètes.

COMMENT TU T'APPELLES ?

Les premiers astéroïdes ont reçu des noms de dieux grecs ; puis, comme cette ceinture immense était faite d'une foule d'objets, cela ne suffit plus ! Après les noms de fleurs (tulipe, pétunia, etc.), on leur attribua donc des noms d'hommes célèbres... comme Bach, Evita Peron, Spock, ou Les Beatles !

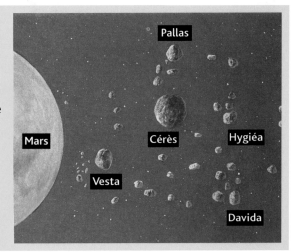

Tourisme ou exploitation minière ?

Les métaux contenus dans ces mini-planètes font rêver. Des industriels imaginent qu'ils pourront capturer les astéroïdes qui passent près de la Terre en les emprisonnant dans un champ magnétique... À voir ! Les sondes spatiales, quant à elles, vont rendre visite à ces corps célestes pour les voir de plus près. On peut alors obtenir des images radar très détaillées, mais à quand le séjour d'une semaine, voyage compris, sur un astéroïde ?

Attention, à droite ! Virage à gauche... Ce slalom périlleux au milieu des astéroïdes n'est pas pour demain !

CHIRON, MI-ASTÉROÏDE, MI-COMÈTE

Découvert en 1977, Chiron mesure 150 à 200 km de diamètre. Il effectue un voyage de 51 ans autour du Soleil, au-delà d'Uranus. En 1988, Chiron s'est entouré d'un nuage de gaz et de poussières, comme le font les comètes ; c'est pourquoi on soupçonne Chiron d'être une ancienne comète.

EXCÈS DE VITESSE ?

On sait que les astéroïdes tournent plus vite autour du Soleil que les planètes. Depuis leur formation, ils ont même accéléré. À la vitesse de 5 km/s, ils se cognent tellement les uns les autres qu'ils ne peuvent pas s'agglomérer pour se réunir en planète. Les scientifiques pensent que cela est dû à la force d'attraction de Jupiter, mais ils n'en sont pas sûrs.

Les comètes

Voici les vedettes, les stars, les vraies : les comètes. Elles traversent le ciel, la nuit tombée, avec des panaches de feux d'artifice. En passant, ces grandes dames un peu pimbêches promettent de revenir. Oui, mais quand ? Dans 75 ans, 2 siècles, 20 siècles... peut-être !

Nées dans un disque

Les comètes sont les vestiges de cette époque lointaine où les planètes sont nées, dans le disque qui entourait alors le jeune Soleil. Ces débris glacés ont été rejetés au loin, jusqu'aux limites du système solaire, où ils ont formé deux réservoirs de comètes. Le plus lointain est le nuage d'Oort (du nom de celui qui a imaginé son existence), un immense nuage sphérique qui entoure tout le système solaire. Plus près de nous, le ceinture de Kuiper (son « découvreur ») s'étend au-delà de Neptune. Depuis quelques années, on commence à découvrir les corps glacés qu'elle renferme. Parfois en raison des collisions qui y ont lieu, l'un d'eux est éjecté et vient nous visiter : une nouvelle comète apparaît alors dans notre ciel.

Le nuage d'Oort.

LA MORT DES COMÈTES

Chaque fois que les comètes passent près du Soleil, elles fondent un peu... Parfois, quand elles passent trop près, leur noyau explose sous l'influence gravitationnelle de l'étoile. Les comètes qui ont plus de chance deviennent des astéroïdes.

La comète de Halley

Témoin de toute l'histoire de l'homme, cette comète revient environ tous les 75 ans. Ses passages ne sont pas toujours spectaculaires : très belle en 1910, elle était quelconque en 1986 ! Et elle ne reviendra qu'en 2061. Quelques sondes spatiales lui ont rendu visite. Mais vue de près, elle n'est qu'une énorme cacahuète de 16 km de long et de 8 km d'épaisseur... Pourtant, sans instruments optiques ni fusées, les Chinois la connaissaient déjà, 2 siècles av. J.-C. Quelques siècles plus tard, on la trouve sur une pièce romaine à l'effigie de Jules César, et même sur la tapisserie de Bayeux !

La tapisserie de Bayeux, qui date de 1070, raconte la conquête de l'Angleterre par les Normands. Une comète a été vue pendant cet événement.

La comète de Halley est une énorme boule de neige sale. Enveloppée d'un vaste nuage d'hydrogène et de poussières, elle semble faite de la matière qui a donné naissance au système solaire.

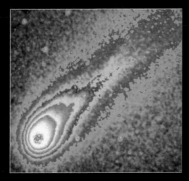

Quand une comète s'écrase sur Jupiter, que se passe-t-il ? De belles images, de grands commentaires des astronomes, mais à peine une égratignure sur la planète géante !

La queue des comètes

La queue des comètes se forme lorsque la comète se rapproche du Soleil et elle peut mesurer 300 millions de km, rien que ça ! Cette queue a 2 parties. La première, rectiligne et bleutée, est constituée de gaz. La seconde, plus large et plus incurvée, est faite de poussières. Ces poussières que les comètes laissent derrière elles forment peu à peu des nuages. La plupart des pluies d'étoiles filantes qui illuminent notre ciel proviennent de ces nuages que la Terre traverse au cours de son périple autour du Soleil.

UN RECORD !

La comète Encke revient tous les 3 ans et demi. Depuis sa découverte, en 1786, les hommes l'ont vue passer plus de 60 fois.

Par Toutatis !

Ce juron était le préféré de tes ancêtres les Gaulois. Ils n'avaient peur que d'une chose (voir *Astérix* !) : que le ciel leur tombe sur la tête ! En implorant ce dieu puissant, ils pensaient éviter cette catastrophe...

Et quand ils tombent !

Depuis un satellite, on a repéré sur la Terre des cratères immenses, presque effacés par le temps : leurs dimensions atteignent jusqu'à plusieurs kilomètres de diamètre. Ils ont été creusés par la chute d'objets de plus de 10 km de diamètre et pesant des milliards de tonnes ! Pour s'en préserver, une seule possibilité pour l'homme : surveiller le ciel. Aux États-Unis, à l'observatoire du mont Palomar, un télescope automatique envoie à un ordinateur des photos du ciel prises chaque nuit. Il détecte ainsi les objets proches de la Terre qui se déplacent rapidement. En cas de danger, on envisage de les dévier avec des fusées équipées de bombes nucléaires.

Pas de panique ! Les plus gros astéroïdes sont connus et ne menacent pas la Terre.

C'est peut-être l'un de ces monstres qui a fait disparaître les dinosaures ! Il y a 65 millions d'années, une météorite énorme a déclenché un incendie gigantesque, un raz de marée, un nuage toxique... Mais certains grands reptiles semblent avoir survécu à cette catastrophe. Alors, mystère !

LES TROIS « A »

Les scientifiques ont réparti les astéroïdes qui coupent l'orbite terrestre en trois groupes : les **Aten** tournent à l'intérieur de la route de la Terre ; les **Apollo** restent près de Mars et croisent parfois la trajectoire de la Terre ; les **Amor** vont très loin, croisent parfois la route de Mars et s'approchent de celle de la Terre. On estime que plus de 1 000 d'entre eux mesurent au moins 1 km de diamètre, et une centaine sont identifiés et suivis en permanence.

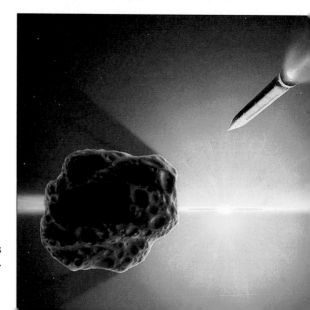

LES CHUTES RÉCENTES

En 1794, une pluie de météorites s'abat sur Sienne :
200 pierres tombent sur cette ville italienne.
Un tranquille village français de l'Orne, L'Aigle,
est bombardé de 3 000 pierres en plein jour, en 1803 !
En Sibérie, une forêt (heureusement déserte !)
de 200 000 ha est ravagée par une météorite, en 1908.
Elle contenait de l'iridium : un métal que l'on ne trouve
que dans les objets extraterrestres.
Au Mexique, en 1969, les paysans du village d'Allende
voient exploser une météorite. On retrouve
ses fragments sur 50 km !

La forêt sibérienne après la météorite de 1908.

Voici l'image radar, datant de 1992, d'un astéroïde
baptisé Toutatis. Composé de 2 blocs de plus de 5 km
de long, il a frôlé la Terre en 1989, à moins de 650 000 km,
c'est-à-dire même pas 2 fois la distance Terre/Lune.
Certains pensent qu'il reviendra tous les 4 ans environ
et qu'il finira par heurter la Terre. À moins qu'il ne soit
capturé par Mars ou tombe sur un autre astre...

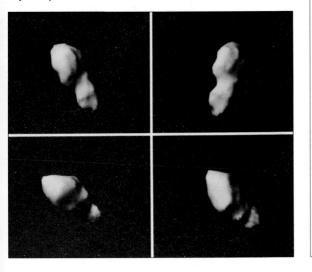

SCÉNARIO CATASTROPHE

Si un astéroïde de 10 km de diamètre tombe dans
l'océan :

Un raz de marée
haut de plusieurs
mètres balaye les
côtes à la vitesse
de 700 km/h.

La Terre tremble,
comme s'il y avait
250 000 éruptions
volcaniques.

Des milliards de
tonnes de roches
et de vapeur d'eau
sont projetées
dans l'espace, ce
qui provoque une
tempête terrible.

L'air s'échauffe
de plus de 300 °C,
des incendies
détruisent 90 %
des végétaux
de la planète.

Une couche
de nuages noirs de
30 km d'épaisseur
arrête les rayons
du Soleil.
Il fait nuit.

Il fait moins
de 0 °C, l'hiver
s'installe pour au
moins un an...
À quoi ressemblera
la planète après
tout cela ?

MÉTIERS
DU CIEL

Si les mystères du ciel te passionnent,
si tu rêves de frôler les planètes
ou de voyager dans l'espace
dans des machines fantastiques...
tu auras peut-être la chance
d'en faire un métier,
c'est-à-dire de vivre
chaque jour ta passion !
Et pour cela, il existe
diverses professions.

Astronome ou astronaute ?

L'un observe les astres, calcule leur trajectoire tandis que l'autre s'en approche et parfois s'y pose... Deux métiers rares, captivants et difficiles, demandant des compétences intellectuelles et des capacités physiques différentes mais de très, très haut niveau. Amateurs s'abstenir !

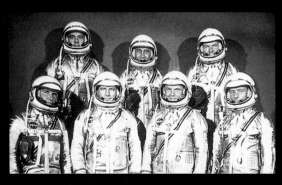

Le 5 janvier 1959, les États-Unis ont lancé un appel à candidature parmi les pilotes d'avions à réaction de moins de 40 ans : 7 premiers astronautes furent sélectionnés par la NASA.

L'astronaute, un super-pilote

Pour voyager dans l'espace, il faut tout d'abord savoir piloter un engin, supporter l'accélération formidable du départ : le corps pèse 3 ou 4 fois plus que sur Terre ! Ensuite, il faut vivre et travailler en apesanteur. Ce qui perturbe le sens de l'équilibre (c'est le mal de l'espace), la circulation sanguine (trop de sang remonte vers la tête) ; les muscles s'atrophient et les os se ramollissent en perdant leur calcium. Donc, mieux vaut être en bonne santé, subir un entraînement physique éprouvant et accepter le danger de ces missions...

En 1960, l'Union soviétique a sélectionné 20 cosmonautes, dont le célèbre Youri Gagarine, premier homme à faire le tour de la Terre, en moins de 2 heures ! C'était le 12 avril 1961.

ASTRONAUTE, COSMONAUTE, SPATIONAUTE ?

Trois mots pour le même métier. Pourquoi ? Tout dépend du pays de départ : les astronautes sont américains, les cosmonautes sont russes et les spationautes sont européens. Pourtant, tous voyagent dans des véhicules spatiaux, hors de l'atmosphère terrestre.

Les astronomes utilisent de plus en plus des satellites tournant au-dessus de la Terre. Les images sont meilleures comme pour le célèbre *Hubble*, télescope géant satellisé depuis 1990.

Tous les gros télescopes du monde permettent à des équipes de différents pays de les utiliser. En astronomie, comme dans la recherche en général, on sait partager ses découvertes et ses moyens...

L'astronome, un guetteur du ciel

L'astronome est d'abord un chercheur. Après avoir assimilé les connaissances actuelles, il cherche à en savoir plus. Mais comme l'homme n'a fait, pour le moment, que des sauts de puce dans l'Univers, c'est par le calcul que l'astronome mène l'enquête. Y a-t-il de l'eau sur cette planète ? D'où vient cette comète ? Pour trouver des réponses, l'astronome imagine des modèles mathématiques ou physiques qui prennent en compte la vitesse des astres, leur distance, leurs mouvements, leur masse, leur histoire, etc. Cela devient vite très complexe mais ça marche ! La preuve : les astronomes Le Verrier et Adams avaient trouvé par le calcul la planète Neptune alors que personne ne l'avait vue !

DES ASTRONOMES ?

Ce sont tous des astronomes, mais spécialisés. L'astrophysicien explique les astres par les sciences physiques. Le cosmologiste élabore les théories sur l'histoire de l'Univers, comme, par exemple, le Big Bang. Le planétologue, dernier arrivé chez les astronomes, étudie les planètes comme le géologue étudie la Terre.

Au Chili, le VLT (*Very Large Telescope*) est piloté depuis l'Allemagne grâce à Internet. Cela permet aux astronomes d'obtenir les images qu'ils demandent directement sur leur ordinateur dans leur laboratoire, ne se déplaçant au Chili que pour installer de nouveaux matériels.

Animateur ou technicien ?

Si tu as envie de faire partager, depuis la planète Terre, ta passion pour le ciel à des publics d'enfants ou d'adultes curieux, le métier d'animateur en astronomie est pour toi. Si tu es davantage attiré par la réalisation, de nombreuses spécialités interviennent pour mettre au point les fusées, les satellites, les instruments d'optique... À toi d'en choisir une !

À Toulouse, à la Cité de L'espace, entouré d'enfants ou d'adultes avides de connaissances, l'animateur doit intéresser son public et répondre aux nombreuses questions. Pas toujours facile !

L'animateur, un communicateur

Pour être animateur (mot qui signifie « donner une âme »), il faut aimer transmettre des connaissances, des techniques... Chaque fois qu'il intervient, l'animateur doit s'adapter aux différents publics qu'il prend en charge.

Plus le sujet est complexe, plus l'animateur doit faire preuve d'imagination et posséder des techniques précises pour passionner son public : mettre en place une visite de musée, monter une exposition, organiser des ateliers, etc. demandent beaucoup plus de compétences qu'il n'y paraît.

Hubert Reeves est tout d'abord un scientifique : un astrophysicien. Mais il sait aussi, avec passion et enthousiasme, devenir un bon animateur en mettant ses connaissances à la portée du grand public.

Le travail
du technicien
doit être parfait.
Le moindre
incident dans
l'espace devient
catastrophique.
La plupart
des satellites
fonctionnent
sans anicroche
pendant 10 ans
et plus, malgré
les agressions
multiples
auxquelles
ils sont soumis.

Le technicien et l'ingénieur

Sans eux et leurs précieux savoir-faire,
pas d'aventure spatiale. Comment envoyer
à des milliers de kilomètres de la Terre des
fusées, des sondes spatiales, des satellites sans
connaître les techniques de l'informatique,
de l'électronique, de la résistance des matériaux,
de l'énergétique, etc. ? Toutes ces technologies
et bien d'autres sont indispensables pour mener
à bien des projets ambitieux. Une fuite
minuscule dans un réservoir de carburant et
c'est le drame de la navette spatiale de 1986
dans lequel 7 astronautes trouvèrent la mort.
Personne n'a droit à l'erreur !

Devant l'écran géant de la salle
de contrôle, les ingénieurs suivent
la trajectoire de la fusée.
Leurs calculs permettent
de prévoir, très précisément,
un rendez-vous entre une sonde
spatiale à des centaines
de millions de kilomètres
et une planète, plusieurs années
à l'avance.

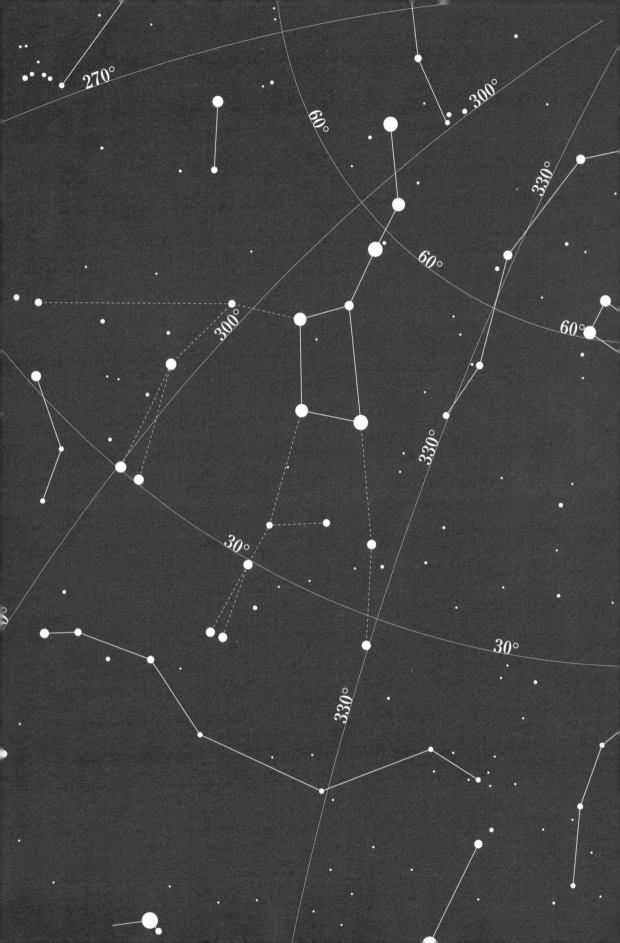

Lire les cartes

Au cours de la nuit, le ciel tourne d'est en ouest, autour de l'étoile Polaire, et se décale petit à petit chaque jour. Cela veut dire qu'une carte du ciel au 15 janvier à 21 h sera valable pour le 15 décembre à 19 h ou le 15 février à 23 h. Pour utiliser ces cartes, il faut les tenir devant soi, à l'endroit, face à la direction choisie. Elles couvrent une grande portion du ciel à chaque saison et t'aideront à t'orienter.

Détermine le champ des jumelles

Généralement, le champ des jumelles est donné pour 1 000 m. Par exemple 130 m pour 1 000 m. En astronomie, ce qu'il faut savoir, c'est quel champ les jumelles couvrent par rapport aux cartes que tu utilises.

Pour connaître le champ en degrés, divise le chiffre du champ de tes jumelles par 17,4 (dans notre exemple : 130 : 17,4 = 7,5° soit 7° 30'). Le résultat est le champ en degrés de tes jumelles. Sur les cartes, les distances en degrés sont marquées. Cela signifie que tu vois une zone du ciel mesurant 7° 30' dans tes jumelles.

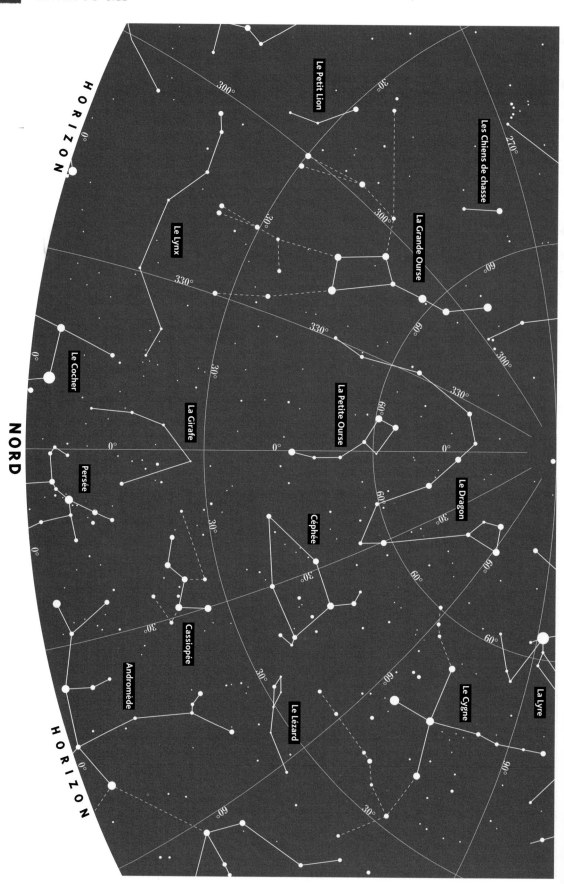

Le ciel vers le nord au solstice d'été

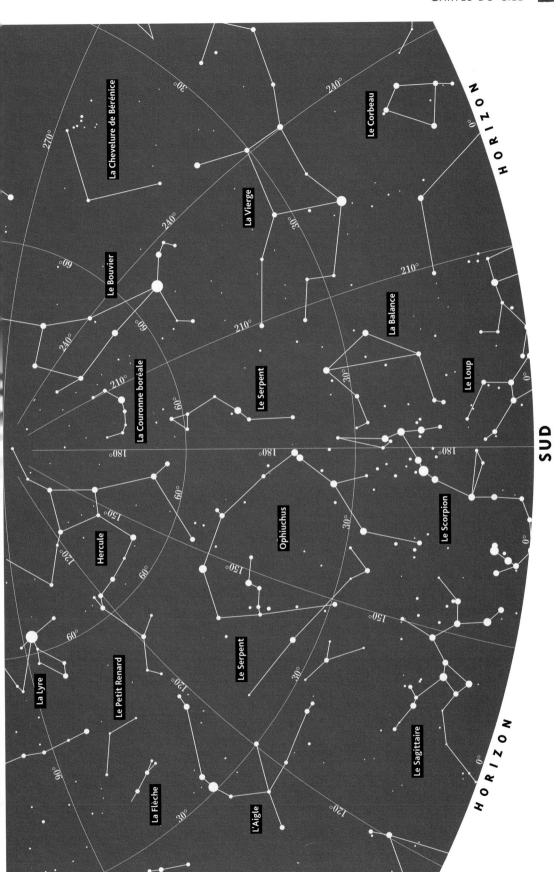

SUD

Le ciel vers le sud au solstice d'été

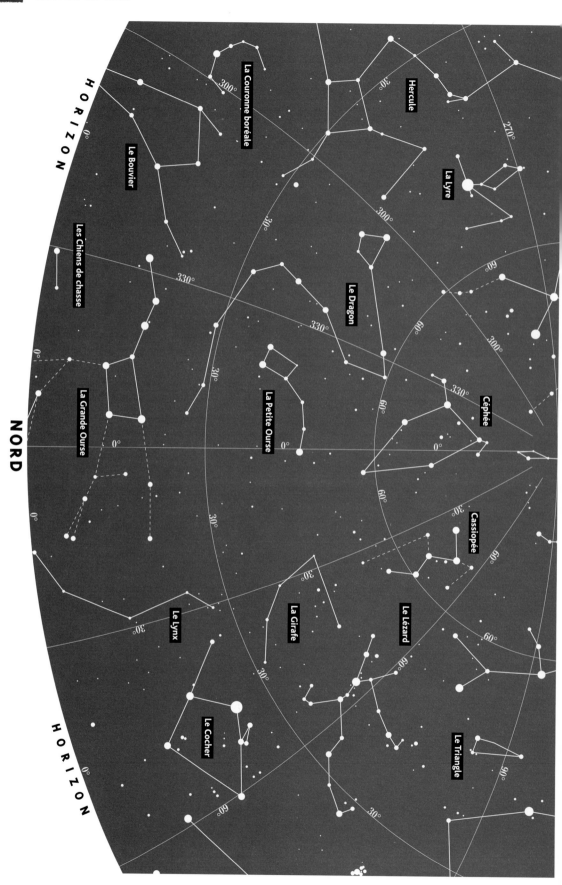

Le ciel vers le nord à l'équinoxe d'automne

NORD

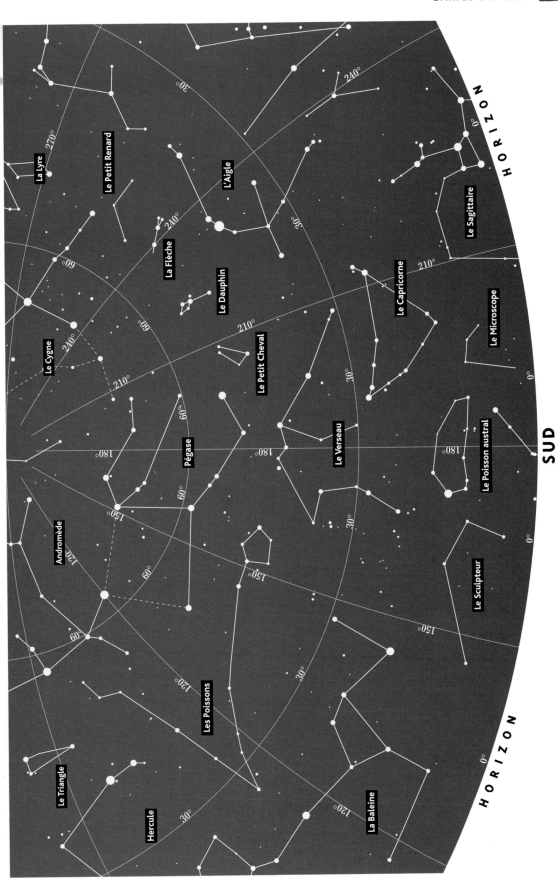

Le ciel vers le sud à l'équinoxe d'automne

SUD

HORIZON

La Lyre
Le Petit Renard
L'Aigle
Le Sagittaire
La Flèche
Le Dauphin
Le Capricorne
Le Microscope
Le Cygne
Le Petit Cheval
Pégase
Le Verseau
Le Poisson austral
Andromède
Le Sculpteur
Les Poissons
Le Triangle
Hercule
La Baleine

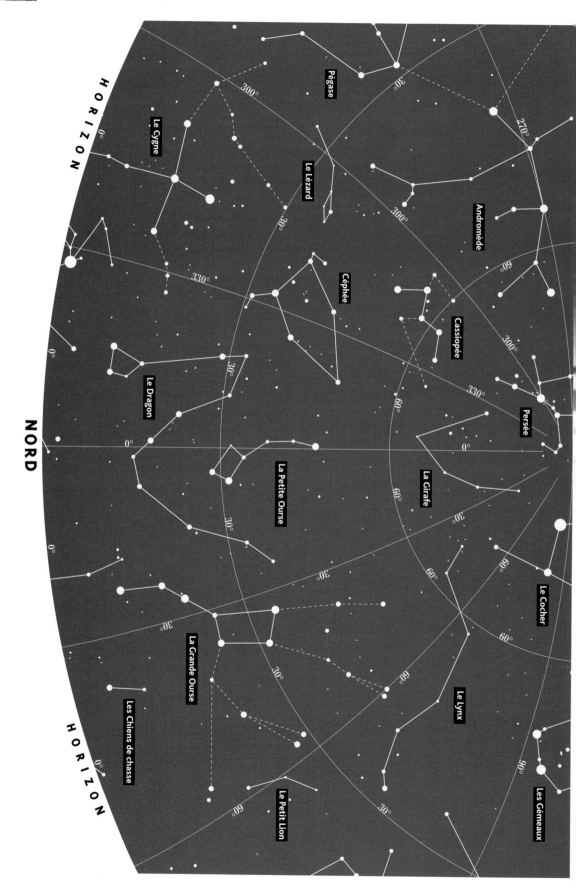

Le ciel vers le nord au solstice d'hiver

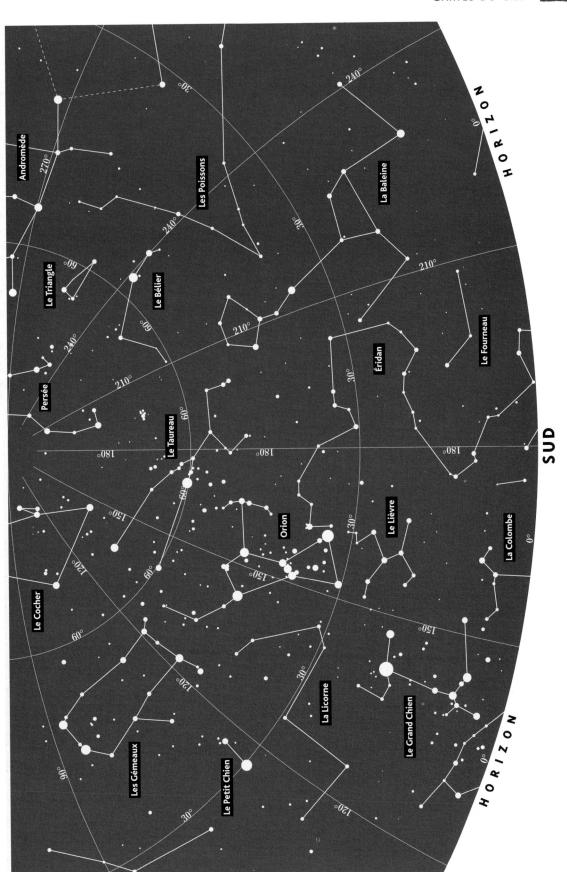

Le ciel vers le sud au solstice d'hiver

SUD

HORIZON

Andromède
Le Triangle
Le Bélier
Les Poissons
La Baleine
Persée
Le Fourneau
Éridan
Le Taureau
Le Cocher
Orion
Le Lièvre
La Colombe
Les Gémeaux
Le Petit Chien
La Licorne
Le Grand Chien

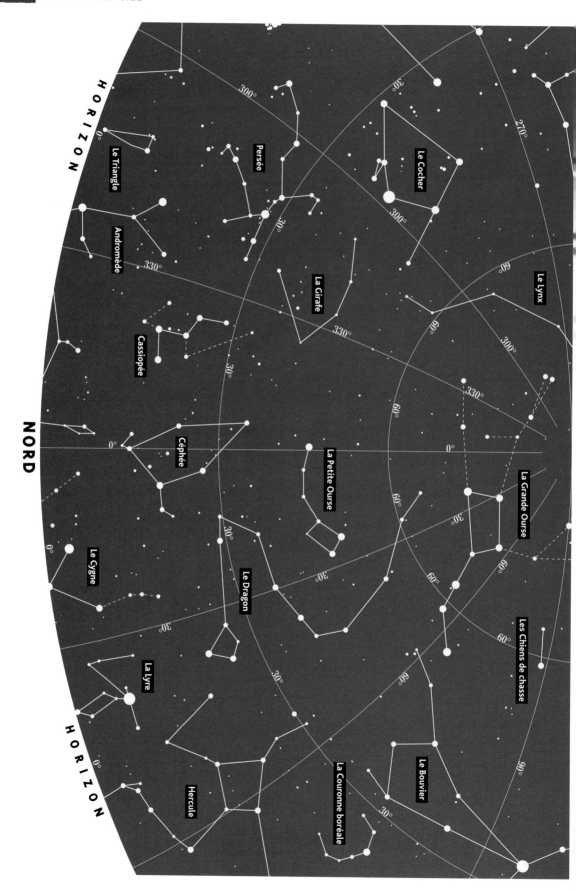

Le ciel vers le nord à l'équinoxe de printemps

NORD

HORIZON

HORIZON

Le Triangle

Andromède

Persée

Le Cocher

Le Lynx

La Girafe

Cassiopée

Céphée

La Petite Ourse

La Grande Ourse

Le Cygne

Le Dragon

Les Chiens de chasse

La Lyre

Le Bouvier

Hercule

La Couronne boréale

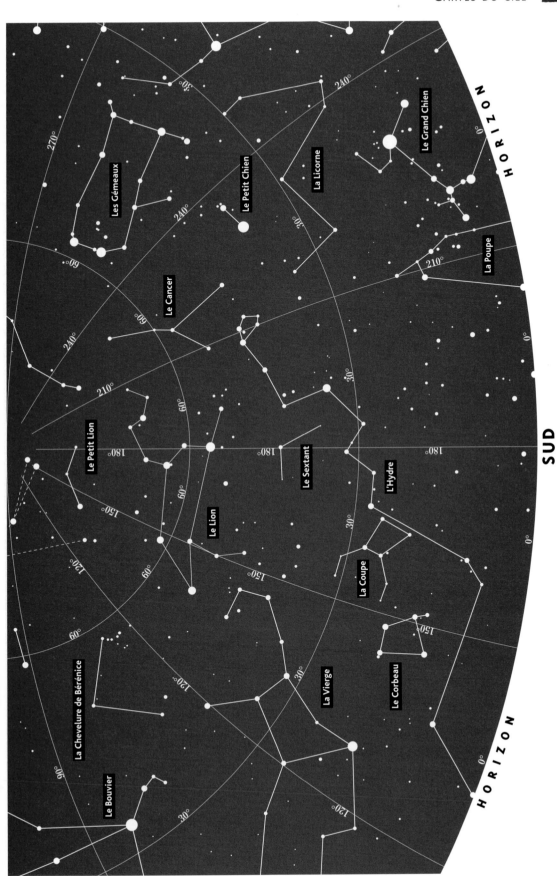

Les Gémeaux

Le Petit Chien

La Licorne

Le Grand Chien

La Poupe

Le Cancer

Le Petit Lion

Le Sextant

L'Hydre

Le Lion

La Coupe

La Chevelure de Bérénice

La Vierge

Le Corbeau

Le Bouvier

HORIZON

HORIZON

SUD

Le ciel vers le sud à l'équinoxe de printemps

SUD

Carte de la Lune

Voici les grands sites lunaires : cratères, mers et montagnes, tous visibles avec des instruments d'amateur. Cette image représente la Lune « la tête en bas », c'est-à-dire le nord en bas, comme on la voit avec une lunette ou un télescope.

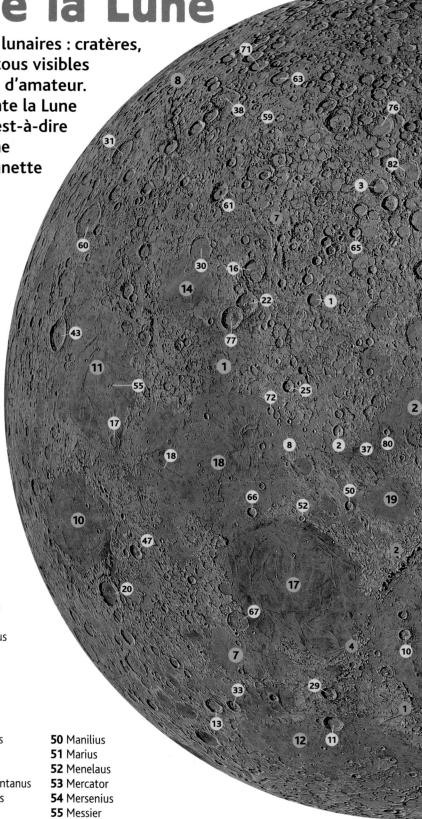

Les cratères

(pastilles jaunes)

1 Abulfeda
2 Agrippa
3 Aliacensis
4 Alpetragius
5 Alphonse
6 Anaxagoras
7 Archimède
8 Ariadaeus
9 Aristarque
10 Aristillus
11 Aristote
12 Arzachel
13 Atlas
14 Bode
15 Boulliau
16 Catherine
17 Cameron
18 Cauchy
19 Clavius
20 Cleomedes
21 Copernic
22 Cyrille
23 Darney
24 Davy
25 Delambre
26 Ératosthène
27 Euclide
28 Euler
29 Euxode
30 Fracastorius
31 Furnerius
32 Gassendi

33 Hercule
34 Hérodote
35 Herschel
36 Hortensius
37 Hyginus
38 Janssen
39 Kepler
40 Kies
41 Lalande
42 Lambert
43 Langrenus
44 Lansberg
45 Letronne
46 Longomontanus
47 Macrobius
48 Maginus
49 Mairan

50 Manilius
51 Marius
52 Menelaus
53 Mercator
54 Mersenius
55 Messier
56 Milichius

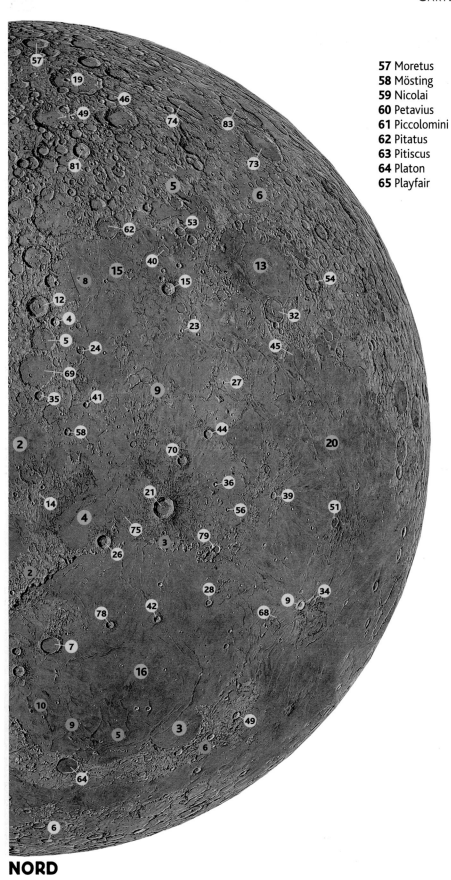

57 Moretus	**66** Pline	
58 Mösting	**67** Posidonius	
59 Nicolai	**68** Prinz	
60 Petavius	**69** Ptolémée	
61 Piccolomini	**70** Reinhold	
62 Pitatus	**71** Rosenberger	
63 Pitiscus	**72** Sabine	
64 Platon	**73** Schickard	
65 Playfair	**74** Schiller	
	75 Stadius	
	76 Stöfler	
	77 Théophile	
	78 Timocharis	
	79 Tobias Mayer	
	80 Triesnecker	
	81 Tycho	
	82 Walter	
	83 Wargentin	

Les mers
(pastilles bleues)

1 Golfe des Aspérités
2 Golfe Central
3 Golfe des Iris
4 Golfe Torride
5 Lac de l'Effroi
6 Lac de la Perfection
7 Lac des Songes
8 Mer Australe
9 Mer de la Connaissance
10 Mer des Crises
11 Mer de la Fécondité
12 Mer du Froid
13 Mer des Humeurs
14 Mer du Nectar
15 Mer des Nuées
16 Mer des Pluies
17 Mer de la Sérénité
18 Mer de la Tranquillité
19 Mer des Vapeurs
20 Océan des Tempêtes

Les montagnes
(pastilles orange)

1 Alpes
2 Apennins
3 Carpates
4 Caucase
5 Chaîne droite
6 Jura
7 Monts Altaï
8 Mur droit
9 Pico
10 Piton

NORD

Adresses utiles

Informations sur les phénomènes astronomiques

AFA (Association française d'astronomie)
17, rue Émile-Deutsch-de-la-Meurthe
75014 Paris.
Tél. : 01 45 89 81 44.
Courrier électronique : ceespace@francenet.fr

SAF (Société astronomique de France)
3, rue Beethoven
75016 Paris.
Tél. : 01 42 24 13 74.
Courrier électronique : saf@calva.net

Observatoires professionnels

– Observatoire de Haute-Provence
04870 Saint-Michel-l'Observatoire.
Tél. : 04 92 70 64 00.
– Observatoire du plateau de Bure
L'Enclus
05250 Saint-Étienne-en-Dévoluy.
Tél. : 04 92 52 53 62.
– Observatoire de Nice
Mont Gros
06000 Nice.
Tél. : 04 93 41 23 04.
– Observatoire de la Côte d'Azur
Plateau du Calern
06460 Caussols.
Tél. : 04 93 85 85 58.
– Radiotélescope de Nançay
Route de Sovesnes
18330 Nançay.
Tél. : 02 48 51 18 18.
– Observatoire du pic du Midi
65200 Bagnères-de-Bigorre.
Tél. : 05 62 91 90 33.
– Observatoire de Paris
61, avenue de l'Observatoire
75014 Paris.
Tél. : 01 40 51 22 21.
– Observatoire de Meudon
5, place de Janssen
92195 Meudon.
Tél. : 01 45 07 74 86.

Planétariums
(possédant des coupoles de plus de 10 mètres)

– Planétarium du Trégor
22560 Pleumeur-Bodou.
Tél. : 02 96 91 83 78.
– Planétarium de la Cité de l'espace
31506 Toulouse.
Tél. : 05 62 71 64 80.
– Planétarium de Saint-Étienne
42100 Saint-Étienne.
Tél. : 04 77 25 54 92.
– Planétarium de Villeneuve-d'Ascq
59650 Villeneuve-d'Ascq.
Tél. : 03 20 19 36 36.
– Planétarium de Vaulx-en-Velin
69511 Vaulx-en-Velin.
Tél. : 04 78 79 50 13.
– Palais de la Découverte
75008 Paris.
Tél. : 01 40 74 80 00.
– Planétarium de la Villette
75930 Paris.
Tél. : 01 40 05 70 22.
– Devenir
86000 Poitiers.
Tél. : 05 49 50 33 08.

Une liste actualisée de tous les planétariums est disponible sur le **3615 Big Bang**, ou en contactant l'**Association des planétariums de langue française** (APLF), à Strasbourg, rue de l'Observatoire, 67000 Strasbourg. Tél. : 03 88 36 12 51.

Vente de matériel (magasin et correspondance)

La Maison de l'astronomie
33-35, rue de Rivoli
75004 Paris.
Tél. : 01 42 77 99 55.

Météorologie

3615 METEO
Tél. : 08 36 68 02 XX
(XX est le numéro du département qui vous intéresse).

Divers

Comité national pour la protection du ciel nocturne (CNPCN), c/o SAF
3, rue Beethoven
75016 Paris.

Lexique

Altitude (Alt) : distance d'un astre par rapport à l'horizon.

Amas : quand les étoiles restent groupées tout près les unes des autres, elles forment des nuages très lumineux que l'on appelle des amas.

Amas globulaires : il s'agit d'amas d'étoiles très denses, composés d'étoiles qui ne peuvent pas se séparer, liées entre elles par le phénomène de gravitation.

Amas ouverts : toutes les étoiles nées du même nuage de gaz (d'une nébuleuse diffuse) voyagent ensemble dans une même région du ciel. Elles forment alors ce qu'on appelle un amas ouvert.

Année-lumière : unité de longueur qui permet de mesurer les distances dans l'Univers. Une année-lumière est la distance que parcourt la lumière dans le vide, en 1 an, soit environ 9 500 milliards de kilomètres.

Astéroïde : entre Mars et Jupiter gravitent des millions d'astéroïdes. Le plus gros, Cérès, mesure 1 000 km de diamètre, mais la plupart ne sont que de gros rochers.

Astrologie : astrologie signifie « discours des astres ». Les astrologues estiment traduire le message caché dans les mouvements des astres. Leurs prévisions sont regroupées dans les horoscopes.

Astronautes : Américains qui voyagent dans des véhicules spatiaux, hors de l'atmosphère terrestre.

Astronomie : l'astronomie est la science qui nomme les astres et décrit leurs mouvements.

Austral : se dit de tout ce qui se situe dans la partie sud du globe terrestre.

Azimut (Az) : distance d'un astre par rapport au sud.

Boréal : la moitié nord du globe est dite boréale.

Ceinture de Kuiper : cette région commence juste après l'orbite de Neptune et s'étend sur 20 milliards de kilomètres. Elle comprend plus de 70 000 planétoïdes de plus de 100 km de diamètre et des milliards de corps plus petits.

Chromosphère : mince anneau rosé qui donne sa couleur au Soleil. Elle n'est visible que pendant une éclipse totale.

Climat : ensemble de phénomènes météorologiques (température, pression atmosphérique, vents, précipitations, etc.).

Conjonction : la Lune et les planètes suivent l'écliptique, chacune à sa vitesse. Quand deux ou plusieurs astres sont sur une même ligne verticale, ils sont en conjonction.

Constellation : chaque constellation désigne une région du ciel, comme un pays dans une carte de géographie. Elle est caractérisée par un dessin géométrique remarquable auquel on a donné un nom. La plupart viennent des Babyloniens, l'une des plus anciennes civilisations humaines, il y a plus de 5 000 ans.

Cosmonautes : Russes qui voyagent dans des véhicules spatiaux, hors de l'atmosphère terrestre.

Couronne : couche de gaz très ténue qui diffuse la lumière de la photosphère. N'est visible que lors des éclipses.

Déclinaison : elle mesure la distance en degrés par rapport à l'équateur céleste (comme la latitude).

Écliptique : on appelle plan de l'écliptique la zone du ciel où se produisent les éclipses, c'est-à-dire quand la Lune passe entre le Soleil et la Terre. Vu de la Terre, l'écliptique est comme un anneau dessiné par le trajet que font le Soleil le jour et les planètes la nuit.

Élongation : la distance angulaire entre le Soleil et un astre s'appelle l'élongation. Plus elle est proche du maximum (180°), plus l'astre est visible toute la nuit, car le plus éloigné du Soleil.

Équinoxe : deux fois par an, le jour est égal à la nuit, à la seconde près : c'est l'équinoxe, aux environs du 22 mars ou du 22 septembre. Entre deux équinoxes de printemps, il y a 365 jours 5 h 48 min et 46 s.

Éruptions solaires : immenses jets de gaz montant jusqu'à 500 000 km de hauteur.

Étoile : astre composé de gaz, qui produit de l'énergie sous la forme de lumière et de chaleur.

Étoiles doubles : la plupart des étoiles ne sont pas « célibataires », mais font partie de couples célestes. Parfois, ce sont des illusions d'optique appelées doubles optiques.

Fuseaux horaires : les fuseaux horaires sont les zones où l'heure est la même du nord au sud. Ainsi, à intervalles réguliers, on avance d'une heure si on se déplace vers l'est.

Galaxie : énorme regroupement de milliards d'étoiles tournant ensemble dans l'espace.

Gravitation : force d'attraction qui s'exerce entre 2 corps de façon réciproque. C'est cette force qui maintient, par exemple, la Lune autour de la Terre.

Latitude : distance angulaire d'un point du globe par rapport à l'équateur. Elle est égale à zéro à l'équateur et à 90° à chacun des pôles. En France métropolitaine, elle varie de 42° à 52°.

Libration : la Lune, pour suivre la Terre, se balance légèrement de bas en haut et de gauche à droite : c'est la libration.

Lumière cendrée : parfois la Terre brille si fort qu'elle réussit à éclairer la partie de la Lune qui devrait rester sombre. Toute la Lune est alors visible, et seul un croissant est fortement éclairé. Ce phénomène assez rare s'appelle la lumière cendrée.

Magnitude absolue : luminosité qu'auraient les étoiles si elles se trouvaient toutes à la même distance de la Terre (à 10 parsecs, soit 32,6 années-lumière). Cela permet de comparer les étoiles entre elles.

Magnitude apparente : mesure de la luminosité d'un corps céleste. Elle va de − 2 pour les étoiles les plus lumineuses à 27 pour les plus faibles, visibles uniquement avec les plus grands télescopes ; jusqu'à la magnitude 6, on peut les voir à l'œil nu.

Méridien : c'est une ligne imaginaire qui va du pôle Nord au pôle Sud. Tout le long de cette ligne, l'heure est la même.

Nébuleuse : nébuleuse vient du mot latin *nebula* qui signifie « nuage ». Une nébuleuse est donc un nuage de gaz et de poussières. Elle est obscure, diffuse ou planétaire.

Nuage d'Oort : à 10 000 milliards de kilomètres du Soleil, c'est la limite du système solaire. Là, des milliards de comètes glacées tournent dans la nuit intersidérale. Parfois, l'une d'elles commence un long voyage vers le centre du système solaire.

Orbite : trajet qu'une planète décrit autour du Soleil.

Photosphère : couche du Soleil, de 300 km d'épaisseur, qui nous envoie la lumière.

Planète : astre solide ou gazeux qui tourne autour d'une étoile et n'émet pas de lumière par lui-même.

Planètes inférieures : celles qui sont plus près du Soleil que la Terre : Mercure et Vénus. Les autres sont les planètes supérieures.

Quasars : ils sont très loin, très brillants mais ne sont pas des étoiles. Ces astres encore méconnus sont sans doute des cœurs de galaxie dont le noyau est très actif...

Révolution : mouvement des planètes autour du Soleil.

Rotation : mouvement d'une planète tournant sur elle-même.

Saison : chacune des 4 divisions à peu près égales de l'année. C'est le temps que met la Terre pour parcourir la partie de son orbite comprise entre un équinoxe et un solstice (et vice versa).

Satellite : ce mot vient du latin et signifie « garde du corps ». Un satellite est un corps céleste qui « garde » une planète en gravitant autour d'elle.

Solstice : jour le plus court (solstice d'hiver) ou le plus long (solstice d'été) de l'année. Correspondent aux 2 positions extrêmes de la Terre sur son orbite. Les solstices sont inversés entre les 2 hémisphères.

Spationautes : Européens qui voyagent dans des véhicules spatiaux, hors de l'atmosphère terrestre.

Taches solaires : zones sombres où la température est plus basse. Leur durée de vie varie de quelques heures à plusieurs semaines.

Temps universel (TU) : pour tous les habitants de la Terre, le temps universel est l'heure donnée par le Soleil quand on se trouve sur le méridien de Greenwich, en Angleterre. Cette heure sert de repère pour le monde entier.

Tropique : les tropiques sont des lignes imaginaires qui, sur la Terre, marquent l'endroit où le Soleil est exactement à la verticale, à midi, le jour du solstice. Lors du solstice d'hiver, c'est la constellation du Capricorne qui est haute dans le ciel à 12 h. Lors du solstice d'été, c'est la constellation du Cancer.

Zodiaque : zodiaque est un mot grec qui veut dire « ligne de vie ». Le zodiaque est la partie de la sphère céleste dans laquelle se croisent les planètes (sauf Pluton), le Soleil, la Lune. Dans cette bande de 8 degrés environ, on trouve les 12 signes du zodiaque.

Index

L'alphabet grec

Lettre	Capitale	Minuscule
Alpha	A	α
Bêta	B	β
Gamma	Γ	γ
Delta	Δ	δ
Epsilon	E	ε
Dzêta	Z	ζ
Êta	H	η
Thêta	Θ	θ
Iota	I	ι
Kappa	K	κ
Lamdba	Λ	λ
Mu	M	μ
Nu	N	ν
Xi	Ξ	ξ
Omicron	O	ο
Pi	Π	π
Rhô	P	ρ
Sigma	Σ	σ
Tau	T	τ
Upsilon	Υ	υ
Phi	Φ	φ
Khi	X	χ
Psi	Ψ	ψ
Oméga	Ω	ω

Crédit des illustrations et des photographies

Photographies

Bios : p. 27 (h) : Denis Huot.

Bibliothèque de France : p. 146 (hd + mg + bg).

Casterman
P. 23 (m) : *Tintin et le Temple du Soleil* : Hergé/Moulinsart 1999.

Ciel et Espace
P. 10 : Aao/D. Malin ; p. 12 (h) : A. Fugii ; p. 14/15 : J. Riesle ; p. 14 (bd) : S. Brunier ; p. 15 (md) : E. Graëff ; p. 15 (bg) : J.-C. Sannicolas ; p. 16/17 : S. Brunier ; p. 18 (bg) : Big Beardos et O. Hodasava ; p. 22 (h) : S. Brunier ; p. 26 (bg) : J. Lodrigus ; p. 27 (m) : A. Fugii ; p. 29 (m) : S. Brunier ; p. 29 (bg) : P. Parviainen ; p. 30 (b) : Noao ; p. 31 (bg) : K. Nagase ; p. 51 (hd) : Noao ; p. 52/53 et 54/55 (h) : Birnbaum ; p. 56/57 (h) : Y. Watase ; p. 59 (hd) : S. Brunier ; p. 59 (hg) : A. Fugii ; p. 67 (bd) : B. & S. Fletcher ; p. 70 (b) et p. 74 (bg) : NASA/Ciel et Espace ; p. 80 (hg) : A. Fugii ; p. 85 (hd) : Aao/D. Malin ; p. 89 (hd) : S. Numazawa ; p. 90 (hd + m + bd + bg) : Aao/D. Malin ; p. 91 (hd) : J. Lodrigus ; p. 91 (m) : S. Numazawa ; p. 91 (b) : CFHT ; p. 92/93 : Aao/D. Malin ; p. 93 (b) : Caltech/D. Malin/ Pasachoff ; p. 94 (h) : A. Fugii ; p. 94 (b) : Aao/D. Malin ; p. 98/99 et 101 (m) : S. Brunier ; p. 103 (hd) et p. 108 (bg) : CFHT ; p. 107 : Y. Yatabe ; p. 109 : Aao/D. Malin ; p. 110 : Coo ; p. 112 (hd) : A. Fugii ; p. 115 (m) : B. Balik ; p. 115 (b) : Aao/D. Malin ; p. 118 (b) : B. & S. Fletcher ; p. 121 : A. Fugii ; p. 122 : Aao/D. Malin ; p. 128 : A. Fugii ; p. 133, 134 et 137 (bg) : Aao/D. Malin ; p. 137 (md) : Roe/Aao/D. Malin ; p. 138 (bd+bg) : Aao/D. Malin ; p. 140/141 : Manchu ; p. 149 (h) : S. Brunier ; p. 151 : S. Numazawa ; p. 152 (b) : NASA/Ciel et Espace ; p. 164/165 : E. Graëff/Eso ; p. 167 (hd + hm) : W. K. Hartmann ; p. 167 (m) : F. Gohier ; p. 167 (b) : J. E. Bortle ; p. 168 (hg + md) : Fotosmith/R. Haag Collection ; p. 169 (b) : Fotosmith /R. Haag Collection ; p. 170/171 : S. Numazawa ; p. 171 (m) : NASA/ Ciel et Espace ; p. 172/173 (fond) : Noao ; p. 172 (b) : Isas ; p. 173 (mg) : A. Fugii ; p. 174 (h) : S. Numazawa ; p. 174 (b) : Manchu ; p. 175 (m) et p. 178 (hg) : NASA/Ciel et Espace ; p. 179 (hd) : S. Brunier ; p. 179 (bd) : Manchu ; p. 179 (hg) : NASA/Ciel et Espace ; p. 181 (hd) : NASA/Ciel et Espace ; p. 182/183 : E. Graëff/Eso ; p. 192/193 : L. Bret.

Cosmos
P. 32 (m) : Michaël Wolf ; p. 38 (bd) et p. 47 (hg) : Pekka Parviainen ; p. 50 (b) : Csiro/Fraser ; p. 146 (hd + md) : S. P. L. Cosmos ; p. 169 (m) : Popperfoto/Duncan Willets ; p. 181 (b) : David Parker/SPl ; p. 178 (b) : Popperfoto.

DR : p. 95 ; p. 118 (hd) ; p. 137 (hd + md) ; p. 180 (mg).

Explorer
P. 24 (b) et p. 37 (m) : A. Touy ; p. 37 (b) : E. Brenckle ; p. 42 (h) : Mary Evans ; p. 44 (bd) : P. Forget ; p. 50 (b) : Rado ; p. 60 (h) : P. Estay ; p. 62 (mg) : Jalain ; p. 62 (hd) : Leroux ; p. 62 (md) : Nacivet ; p. 71 (bd) : Charmet ; p. 167 (m) : F. Gohier.

Dominique Chauvet
P. 11 ; p. 13 ; p. 14 (m) ; p. 20 (hd) ; p. 61 (g) ; p. 64 (mg).

Giraudon : p. 31 (h) Saraceni, *La Chute d'Icare* - Alinari/Giraudon ; p. 173 (hd) *Tenture de la reine Mathilde* - Musée de l'Évêché.

Hoa Qui : p. 139 (bd).

J.-F. Laberine : p. 32 (bg).

Library of Congress : p. 148 (bd).

NASA
P. 28 (hg) ; p. 49 (bg) ; p. 74/75 (h) ; p. 72 ; p. 73 ; p. 74 ; p. 75 ; p. 87 ; p. 107 ; p. 108 (mg) ; p. 112 (bg) ; p. 123 (bg) ; p. 125 ; p. 153 ; p. 157 ; p. 159 ; p. 173 (md) ; p. 175 (bg) ; p. 176/177.

Observatoire de Paris : p. 149 (mg).

Roger-Viollet : p. 148.

Sipa Press : p. 180 (b) : Lartige.

Illustrations

Yves Beaujard
P. 20 (b) ; p. 23 (m) ; p. 25 (b) ; p. 27 (b) ; p. 28 (b) ; p. 29 (h) ; p. 33 (h) ; p. 34/35 ; p. 40 ; p. 55 (hd) ; p. 56 (b) ; p. 59 (mg + bg) ; p. 78/79 ; p. 81 (b) ; p. 82/83 ; p. 87 (b) ; p. 88 ; p. 97 (b) ; p. 101 ; p. 109 ; p. 119 ; p. 135 ; p. 145 (h) ; p. 148/149 (b) ; p. 157 (b) ; p. 159 (h).

André Boos : p. 19 (hd) ; p. 171 (h).

Lydia Chatry
Infographies p. 32 (b) ; p. 57 (mg) ; p. 86/87 (b) ; p. 101.

Sylviane Gangloff
P. 24 (h) ; p. 28 (m) ; p. 30 (m) ; p. 38 (m) ; p. 44 (b) ; p. 45 (h) ; p. 51 ; p. 57 (b) ; p. 61 (hg) ; p. 62/63 (b) ; p. 64/65 (h) ; p. 70/71 (m) ; p. 80/81 ; p. 86 (h) ; p. 87 (m) ; p. 96 (h) ; p. 142/143 ; p. 150/151 (b) ; p. 168 (h).

Jean Grosson : p. 44/ 45.

Vincent Jagerschmidt
P. 18/19 (fond + md) ; p. 46/47 (fond) ; p. 65 (b) ; p. 67 (h) ; p. 68/69 (fond) ; p. 70/71 ; p. 70 (hd) ; p. 123 ; p. 144 ; p. 150/151 ; p. 152 (m) ; p. 154 ; p. 156 ; p. 158 ; p. 159 (mg) ; p. 160 ; p. 161 (h) ; p. 162 ; p. 166/167 ; p. 175 ; p. 178/179 ; p. 180/181.

Nathalie Locoste
P. 21 (m + b) ; p. 25 (h) ; p. 36 (m) ; p. 39 (h) ; p. 41 ; p. 42/43 ; p. 47 (b) ; p. 60/61 (b) ; p. 63 (h) ; p. 67 (bg) ; p. 69 (h) ; p. 71 (hd) ; p. 73 (b) ; p. 89 (md) ; p. 105 (h) ; p. 133 ; p. 147 (b) ; p. 153 (bd) ; p. 155 (bd) ; p. 161 (bd) ; p. 163 ; p. 169 (h).

Frédéric Pillot : p. 38 (h) ; p. 39 (b) ; p. 66.